探究する精神

職業としての基礎科学

博司

GS
幻冬舎新書
612

単に輝きを発するよりも照明する方が
より大いなることであるように、
単に瞑想するよりも瞑想の実りを他者に伝える方が
より大いなることである。
――トマス・アクィナス『神学大全』

はじめに

二〇一九年一二月二日、早朝にロサンゼルスを発ち夕方ニューヨークに降り立つと、携帯電話にメッセージが入っていました。二週間後に東京で紫綬褒章の伝達式が予定されており、プリンストンの高等研究所での研究会に出席した後、そのまま日本に向かう予定でした。

メッセージはカリフォルニアの主治医からでした。折り返し電話をすると、前の週に行った定期健康診断で前立腺の腫瘍マーカーに異常値が出たと告げられました。がんの可能性もあるので、日本から帰ったらすぐに精密検査を受けるようにとのことでした。

日本では、不安に思いながら、東京大学・カブリ数物連携宇宙研究機構の機構長としての仕事をしました。一二月一六日には文部科学大臣が私たちの機構をご訪問くださいました。そして翌一七日に文部科学大臣から紫綬褒章の伝達を受けました。

伝達式後の昼食会では幅広い分野の受章者の方々と同席になりました。予習のために皆さんの著書を拝読しておいたので、楽しくお話ができました。ロボットスーツ「ＨＡＬ」を開発された山海嘉之さんが、新型コロナウイルス感染症の世界的流行を予期していたかのように、

「人間の数は地球が維持できるレベルではないので、近い将来に世界の人口が大きく減るようなことが起きるのではないか」とおっしゃっていたことが印象に残っています。

午後には皇居に参内し天皇陛下に拝謁しました。小学校から大学院まで公教育で私を教え育んでくださり、また研究を支援してくださっている日本国政府から褒章をいただけたことを光栄に思いました。

カリフォルニアに戻り検査を受けるとがん細胞が見つかりました。さらに、年明けの詳しい検査の結果、転移の可能性があると診断されました。原発巣にとどまっていれば根治できるかもしれないと思っていたので、転移の可能性を告げられた時の方がショックでした。

その数日後の一月一二日には、東京大学の安田講堂で講演会が予定されていました。カブリ数物連携宇宙研究機構の主催で、しかも私が最初の講演をすることになっていたので、欠席するわけにはいきません。そこで担当医に許可をいただいて一泊二日で東京に出張しました。当日の安田講堂は満員で、私の講演も好評をいただきました。開会のご挨拶にいらした東京大学総長も、予定を変更して最後まで楽しそうに聞いてくださいました。この講演会で私がお話しした「宇宙の数学」については、本書の第三部で解説します。

この東京出張のためロサンゼルス空港のラウンジで日本行きの飛行機を待っている時に、幻冬舎の小木田順子さんから「職業としての基礎科学」というテーマで本を書かないかという電子メールが届きました。「研究者や教育者としての先生の来し方をベースに、基礎科学の意義についてお考えを述べていただけませんでしょうか」というご提案でした。

同様の企画はこれまでいくつかの出版社からいただいていましたが、回顧録を書くのにはまだ早いと辞退していました。しかしがん転移の可能性を診断された直後ということもあり、お引き受けすることにしました。

幸い手術は成功し、その後の検査で実際には転移がなかったことも判明しました。そこで新たな命をいただいたのだと思い、基礎科学を職業とできたことへの感謝の気持ちを持ってこの本を書きます。まずは、そもそもなぜ理論物理学者になろうと思ったのか、というところから始めます。本書後半では、科学と社会の関係についても私の考えをお話しします。

探究する精神／目次

第三部 基礎科学を育てる 205

イラスト 大高郁子（コラム、あとがき）
大栗博司
編集協力 岡田仁志
DTP 美創

第一部
知への旅の始まり

1　考える楽しさ

展望レストランから地球の大きさを測る

岐阜で生まれ育った私は、子供の頃よく両親に名古屋に連れて行ってもらいました。中日ビルの地下に車を駐めてレストランで昼食を取り、三筋ほど西に行った丸栄デパートで買い物をするのが決まりでした。

中日ビルは地上一二階建てで、最上階に回転展望レストランがありました。ゆっくりと回りながら周囲に広がる景色を眺めるのは、それだけで楽しいものです。はるか遠くの地平線まで見渡せました。

「あの地平線は、ここからどれぐらい離れているんだろう。」

ふとそんなことを考えたのは、たしか小学校五年生の時のことです。

その頃、算数の授業で、学校の隣に建っている電波塔の高さを三角法を使って測ったことがありました。教室で習う三角形の幾何がこんなことに応用できるのかと感心しました。そこで、展望レストランから見える地平線までの距離も、三角法を使えば測れるのではないかと思いました。

レストランから地平線を結ぶ直線の長さが知りたいので、これを一辺とする三角形を考えるのがよさそうです。この辺に加えて、もうひとつ頂点を選べば三角形の形が決まります。頂点の候補を二つ思いつきました。ひとつは同じビルの一階にあるバウムクーヘンのおいしい喫茶店で、もうひとつは地球の中心です。

家族で食事をしている間に、「一階の喫茶店・展望レストラン・地平線上の点」を頂点とする三角形と「地球の中心・展望レストラン・地平線上の点」を頂点とする三角形のことを考えていました。すると二つの三角形は相似だと気づきました（図1）。そこで習ったばかりの三角形の性質を使うと、（ビルの高さ）×（地球の半径）＝（地平線までの距離の2乗）という公式を導くことができました。ビルの高さと地球の半径がわかれば、この公式で地平線までの距離が計算できるはずです。

中日ビルの高さはすぐにわかりました。小学生の私はウルトラマンの身長が四〇メートルであることを知っていたからです。ウルトラマンは、怪獣と戦いながら、同じくらいの高さのビルを倒します。中日ビルは当時は周りのビルより背が高かったので、五〇メートルぐらいだろうと見当をつけました。

しかし地球の半径は知りませんでした。これじゃあ地平線までの距離はわからないなと思い

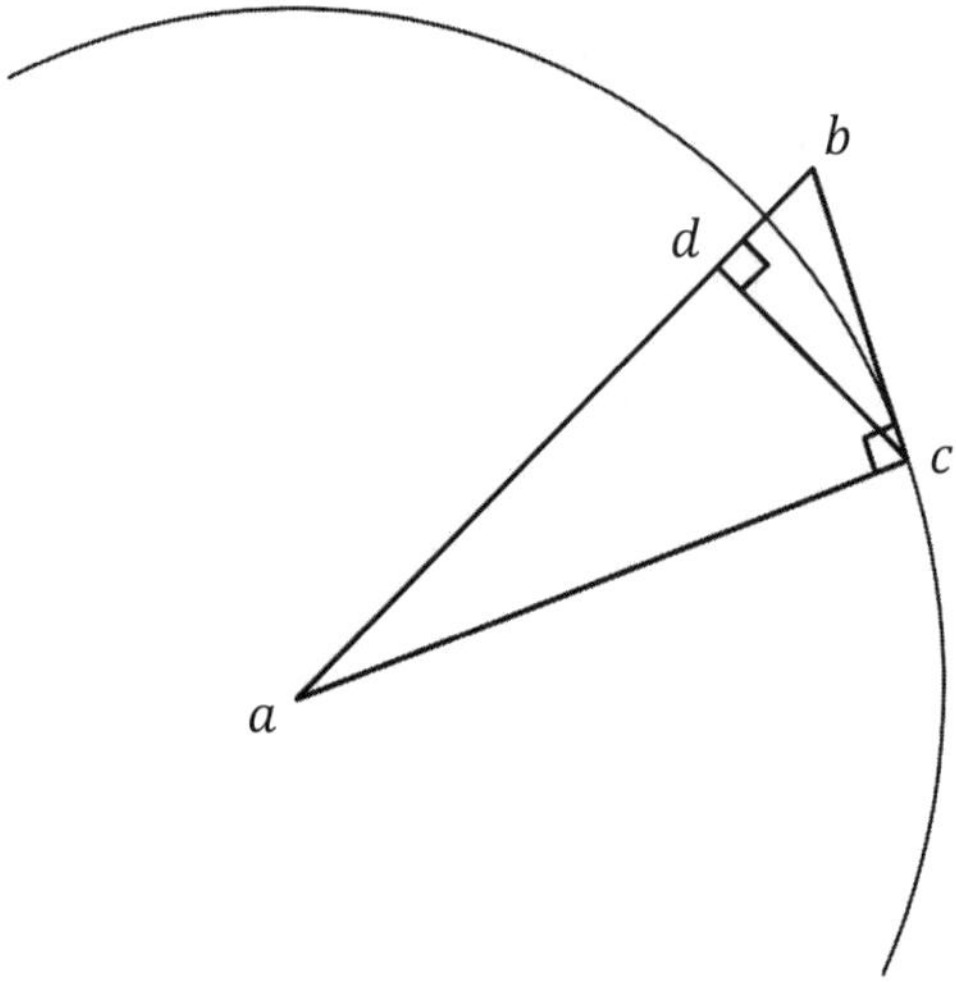

[図1]**三角形の性質を使って地球の大きさを測る**

a は地球の中心、b は中日ビルの展望レストラン、c はそこから見た地平線上の点とする。角 bdc が直角になるように d を選ぶと、三角形 abc と三角形 cbd は相似になる。小学校5年生の私は、角 bdc が直角になる d はビルの1階にあると思ったので、

(ビルの高さ)×(地球の半径)
=(地平線までの距離の2乗)

という公式を導いた。しかし、実際には辺 bd の長さはビルの高さの約2倍なので、

2×(ビルの高さ)×(地球の半径)
=(地平線までの距離の2乗)

と左辺に2×をつけるとより正確な式になる。

ながら外を眺めていると、地平線のあたりに父の実家の町があることに気づきました。岐阜と愛知の県境を流れる木曽川の対岸です。父に実家までの距離を聞いてみると、二〇キロぐらいだと言われました。

「地平線までの距離はどれだけか」という最初の疑問は父にあっさり答えられてしまいました。そこで問題をひっくり返して、教えてもらった地平線までの距離を使い、知らなかった地球の半径を計算してみようと思いました。さっきの公式を変形すると（地球の半径）＝（地平線までの距離の2乗）÷（ビルの高さ）となるので、地平線までの距離とビルの高さを知っていれば地球の半径がわかります。計算してみると八〇〇〇キロになりました。家に帰ってから百科事典で確認すると、地球の半径は約六四〇〇キロでした。私の見積もりはちょっと大きめでしたが、そんなに悪くありません。

このエピソードが記憶に残っているのは、窓から見える景色だけで地球の大きさがわかることに強い印象を受けたからです。観察と思考だけでこんなことまでわかる。しかもそれが自分の力でできたことに手応えを感じました。

その頃、湯川秀樹の伝記を読んで理論物理学という学問があるということを知り、大きくなったら理論物理学者になりたいと思いました。

物理学では私たちの日常の経験をはるかに超える現象を考えます。天の川銀河の中心にある太陽の四〇〇〇万倍の質量を持つブラックホール、何億光年もかなたの銀河の運動、またミクロな世界に目を向けると量子力学の不思議な世界があります。素粒子の世界から一三八億年前の宇宙の始まりまで、どんなに難しい問題でも観察と思考の力で解明できるはずだという勇気をもらったのは、この展望レストランでの経験からでした。

私が小学校の時に導いた式には実は少し間違いがあって、2×（ビルの高さ）×（地球の半径）＝（地平線までの距離の2乗）と左辺に2×をつけるとより正確な式になります。この式は覚えておくと便利なことがあります。

私が四〇代半ばの頃、米国のヘッジファンド会社「ルネサンス・テクノロジーズ」を起業したジェイムズ・サイモンズさんが、ニューヨークのストーニーブルック大学に巨額の私費を投じて数学と理論物理学の研究所を立ち上げることになり、そこの初代所長にならないかというオファーをいただいたことがあります。

サイモンズさんは、幾何学とトポロジーの研究に対してアメリカ数学会のベブレン賞を受賞し、ストーニーブルック大学の数学科長も務めた著名な数学者でした。その後投資ビジネスに転身し、株式市場のビッグデータを数理的に分析する資金運用で大成功されました。サイモンズさんの半生と彼のヘッジファンドについては、グレゴリー・ザッカーマンの『最も賢い億万長者』[*1]に詳しく描かれています。

研究所の計画についてお聞きするために、サイモンズさんのオフィスを訪問しました。マンハッタンの中心にある高層ビルの吹き抜けの角部屋で、国連本部ビルの向こうにイーストリバー、さらに対岸のブルックリンからロングアイランドの方まで見渡せる素晴らしい眺望です。

ストーニーブルック大学の話をしている時に、サイモンズさんが東の方を指して「大学があるのはあのあたりだろう」とおっしゃいます。無難に「そうですね」と相槌を打ってもよかったのですが、つい正直に「この高さだと地平線は三五キロぐらい先です。オイスターベイぐらいまでしか見えないでしょう」と反論してしまいました。「どうしてわかるんだ」とお聞きになるので、紙ナプキンに図1のような絵を描いて「この二つの三角形が相似なので」とご説明すると、数学者なので「そうか！」とすぐに納得されました。「飛行機から外を眺めていて、地平線までどのくらいの距離なんだろうと思ったことがあるんだ。いいことを聞いた」とお喜びになり、話が弾みました。

研究所の所長になる話は結局お断りしましたが、その後もサイモンズさんとは親しい関係が続きました。サイモンズさんの財団が数理科学振興のために研究員制度を始めた時には、第一回の上級研究員として研究の資金援助もしていただきました。

皆さんも、眺めのよいレストランでの食事の時などに話題として使えるかもしれないので、覚えておかれてはいかがでしょうか。

赤ちゃんが感じている「発見」の喜び

幾何学の面白さに目覚めたのは小学校高学年の時でしたが、理科は低学年の頃から好きでした。特に楽しかったのは実験の時間です。

面白いと感じたのは、何度やっても同じ結果になることでした。たとえば、消毒薬のヨードチンキを薄めてヨウ素液を作り、おかゆなどデンプンを含むものに数滴落とすと、黄色の液体が青紫色になります。ところが、おかゆに唾液を入れてしばらく温めてからヨウ素液をたらすと色が変わりません。何度やってもそうなります。

「それの何が面白いんだ?」と首をひねる人もいるでしょう。同じことが何度も起きるのは、意外性がなくて退屈だと感じる人もいると思います。しかし、この世界の現象にパターンがあり、私たちがそれを知ることができるということは、考えてみると不思議なことです。

私の娘が生まれてすぐの頃、ベビーチェアのテーブルに置かれたスプーンを持ち上げてわざと落とすことがありました。私や妻が駆け寄り拾って元に戻すと、娘はまたそれを落とします。親がそれを拾うと、キャッキャと喜びながらまた落とす。それを何度も何度も飽きずにくり返します。あの時娘は発見の喜びを感じていたのだと思います。「スプーンを落とすと、親が駆け寄って拾う」というパターンを発見したのです。そして、それが法則であることを確かめるために、スプーンをわざと落とすという実験をくり返していたのです。

赤ちゃんが試行錯誤をしながら世界を発見していく様子には感動します。私たちが当たり前だと思っている日常の現象の一つひとつが彼らにとっては新しく、そこにパターンを見つけることで自分たちが生きているこの世界の仕組みを理解していく。パターンの発見に素直な喜びと感動があるのです。この赤ちゃんの頃の好奇心を持ったまま大人になってしまったのが科学者なのかもしれません。

自由研究で試行錯誤を楽しむ

小学生時代のことを振り返ってみると、先生にいろいろ教わるだけではなく、自分であれこれ考えることが好きでした。

学校では、絵を描く時に、まず輪郭線を引くと習います。人間の顔にしろ、リンゴにしろ、まず輪郭線を描いてから色を塗ります。小学校低学年の頃に、この輪郭線とは何だろうかということが気になりました。周りにあるものを見ても、黒い線で囲まれているわけではありません。物と物との間にはたしかに境目があります。しかしその境目は太さのある黒い線ではありません。では境目は何でできているのか。

よく観察すると、境目があるのは色や明るさが変わるところです。そこに何か太さのある線があるわけではない。輪郭線を引くのは、色や明るさの変化を際立たせるためのものにすぎないとわかりました。当たり前のことですが、よく考えて自分の言葉で表現することで納得できました。

自由研究も自分で考える楽しさを味わえる機会でした。自由研究とは、調べたことを大きな模造紙に書いて発表する課題です。私の小学校では毎週月曜日に発表会がありました。研究するテーマを自分で考えて調べるだけでなく、調べたことを模造紙にどう表現するかにも頭を使います。たとえばグラフの描き方にも工夫が必要です。

私の両親は当時、岐阜市の柳ヶ瀬商店街で何軒かのお店を経営していました。自宅は郊外にあり、学校が終わって親と家に帰るまでは事務所の一角に作ってもらった勉強部屋で過ごしていました。柳ヶ瀬は私のホームグラウンドのようなものだったので、自由研究のひとつとして、商店街の往来が一日の間にどのように変わるか調べてみようと思いました。

横軸を時間、縦軸を通った人数にしてグラフを描こうとした時、「時間間隔をどうするか」という問題があるのに気がつきました。時間の幅が長すぎると大まかな変化しか表せません。しかし短くしすぎるとグラフとしての意味がなくなってしまう。極端な話、間隔を一〇〇分の一秒ごとにすると、0の列の間に時々1が並ぶグラフになり、これでは通行量の変化を図示したことになりません。一日の通行量の変化をいちばんわかりやすく見せるには、時間の幅をどうすればよいのか。

その前の自由研究で気温の変化を調べた時には「時間の幅問題」はありませんでした。時間間隔を六時間とするより、二時間、一時間と短くする方が、気温の変化を詳しく図示できます。原理的には一〇〇分の一秒ごとの気温の変化でもグラフにすることができます。

なぜ気温のグラフでは時間間隔をいくらでも短くできるのに、通行量ではそうできないのか。この二つの量は何が違うのか。その違いがきちんとわかったのは、大学で物理学を学んでからでした。

物理学では、測定できる量を「示強的」なものと「示量的」なものの二種類に分類します。たとえばコップの中の水を考えてみます。水の温度はコップの体積を二倍にしても変わりません。このようにサイズが変わっても同じままの量のことを示強的と言います。温度のほかに密度や圧力も示強的な量です。一方、コップの中の水の重さはコップの体積に比例します。体積を二倍にすると重さも二倍になる。このようにサイズが変わるとそれに比例して変わる量のことを示量的と言います。重さのほかに水の中の分子の数も示量的です。

この分類によると気温は示強的なので、いくら時間間隔を細かくしても滑らかなグラフが描けます。一方、人の数は示量的なので、数える時間間隔に比例します。そのため、時間間隔を短くとりすぎると、意味のないグラフになってしまうのです。

測定量を示強的なものと示量的なものに分類することは、二〇世紀のはじめにカリフォルニア工科大学のリチャード・トールマンが提唱しました。もちろん、小学生だった私には、そこまで深く考えることはできませんでした。しかし、気温と人数はどこが違うのかなどと自分で考え、試行錯誤のできる自由研究は楽しい作業でした。

自由研究の発表会では自分で考えたことを人に伝える経験も積みました。人の前で話をする時には、どのように説明すればわかってもらえるかを、相手の身になって考える必要があります。自分の理解した順番に沿ってそのまま説明するのがわかりやすいとは限らない。伝えたい情報を整理し、論理を組み直して表現する。他人の前で話すことで自分の理解も深まります。これを小学生の時に体験したことは、研究者になってから論文を書いたり学会で発表したりする時にも役立っています。

「自由書房」に放牧される

自分の頭で考えるためには、その材料である知識も重要です。知識が乏しくては自分の考えを豊かに広げることができません。本が知識の宝庫であることを知ったのも小学生の時でした。

当時、柳ヶ瀬には岐阜で最大の書店である自由書房本店があり、両親のお店の近所だったのでツケで本を買うことができました。学校帰りに大型書店に気軽に立ち寄って本を物色できたのは、今から思うと恵まれていました。近くに市立図書館もありましたが、当時はお役所のような雰囲気で、小学生がひとりで行けるような場所ではありませんでした——これは当時の話で、今の図書館はもっとフレンドリーですね。自由書房なら、店員さんとは顔見知りでしたし、気に入った本はちゃんと買うので、いくら立ち読みをしても嫌がられませんでした。親に「それはよしてこっちにしたら」と口出しをされることなく、読みたい本が読めたのもありがたいことでした。

毎日のように通ったので店内の様子は今でもよく覚えています。入ってすぐ右手が雑誌、左手が児童書のコーナーで小学校低学年の時はまっすぐそこに行きました。一階の中央は単行本、奥には新書や文庫本、二階は高校生向けの参考書や大学生が読む専門的な学術書。三階には美術書のほか高級文具なども置いてありました。

児童書コーナーで買った本の中でも何度も読んだのは『なぜなぜ理科学習漫画』[*2]です。全一二巻を隅から隅までくり返し読んで、書いてあることをすべて覚えてしまいました。娘が小学校に入った時に同じような学習マンガがないか探したのですが、『なぜなぜ理科学習漫画』に匹敵する内容のものが見つからなかったのが残念です。

『子どもの伝記全集』[*3]を読んで、ガリレオ・ガリレイ、アイザック・ニュートン、マリー・キユリー、湯川秀樹などの科学者を知りました。湯川の伝記には、原子核の中の力を伝える中間子という素粒子の存在を真夜中に布団の中で思いついたという話が書いてありました。思考の力で自然界の最も深くゆるぎない真実に到達したという話に感動しました。

毎月届けられる雑誌『科学』と『学習』も楽しみでした。『科学』には家で実験や観測ができる付録がついていたので、理科好きの少年にはたまりません。テコの原理や浮力、電気回路や磁石の仕組みなどを、自分のペースで手を動かして理解できました。

自由書房では、学年が上がるにつれて行き先も変わりました。高学年になると文庫や新書がある一階の奥に出入りするようになり、小学校を卒業する頃には恐るおそる二階に登って高校生向けの参考書や専門書を眺めました。「こんなところに来たら怒られるのではないか」とドキドキしたものです。子供は様々な形で背伸びして大人になろうとします。私の場合は自由書房の二階がそういう場所だったのです。理系の勉強に興味があったので、数研出版の「チャート式」学習参考書が並ぶ棚で、高校生向けの数学や物理学の参考書を立ち読みしたことを覚えています。

本を斜め読みすることを英語では「ブラウズ」と言います。もともと放牧された牛や馬が野原の草を食べる様子を表す言葉だったのが、本の斜め読みにも使われるようになりました。ページをぱらぱらとめくるのはブラウズですが、書店で本を見て回ることもブラウズと言います。

小学生の頃の私は自由書房で放牧されていたのです。

書店に行く楽しみのひとつは思いがけない本に出合うことです。目当ての本の近くにあった本をふと手に取ることで新しい世界が開けたことが何度もありました。アマゾンなどのインターネット書店は、たしかに便利です。しかし、ブラウズする時には紙の本が置いてある書店に行く方が楽しいです。

ブルーバックスと万有百科大事典

そんな小学生ですから、科学の入門書にも手を出さずにはいられません。当時はすでに講談社のブルーバックスが書店の一角を占めており、私の心を引き付けていました。その中でも強く印象に残っているのは、都筑卓司の『はたして空間は曲がっているか――誰にもわかる一般相対論[*4]』です。カバーには、サルバドール・ダリの「新人類の誕生を見つめる地政学の子供」というタイトルの謎めいた絵が使われていました（図2）。

読んでみると、「空間は重力によって曲がる」とか「いったん入り込んだら二度と帰れぬ宇宙の穴」など、ダリの絵に負けない奇妙キテレツなことが書いてあります。しかもどうやらそれはデタラメな作り話ではなく、れっきとした科学的裏付けがあるらしい。「誰にもわかる」というサブタイトルも虚しく、小学生の私に一般相対性理論はさっぱりわかりませんでした。

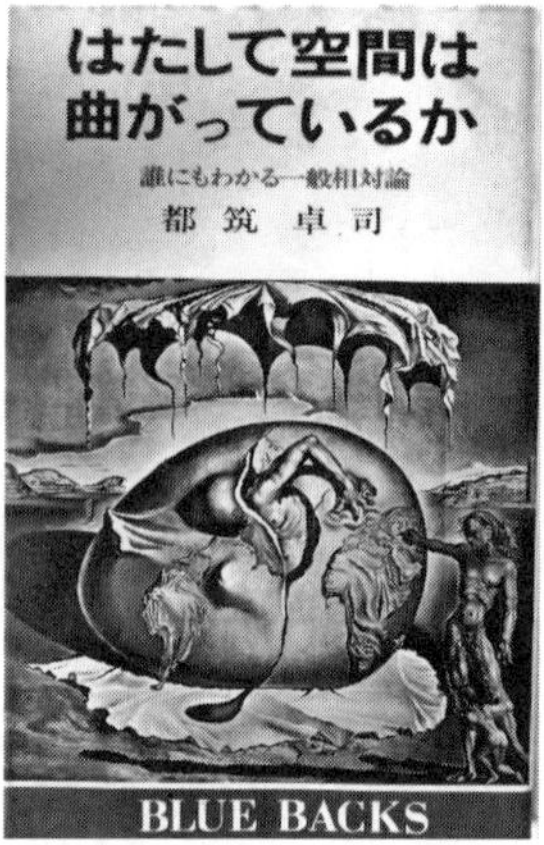

［図2］都筑卓司著『はたして空間は曲がっているか』

しかし科学の素晴らしさには胸を打たれました。私たちの日常を超える不思議な世界があり、私たちはそれを科学の力で解明することができる。それを説明する壮大な理論があり、それが確立した知識としてそこにある。

その頃、祖母と近所の神社にお詣りに行った時に、「いつか、アインシュタインの一般相対性理論を理解させてください」とお稲荷様に願掛けをしたことがありました。科学理論の理解を神様にお願いするのは矛盾した行動のようですが、そのくらい知りたいと思ったのです。

ブルーバックスでは、同じ著者による『マックスウェルの悪魔』[*5]も物理学の魅力を伝えてくれました。永久機関はできないという話を読んで、「××はできない」ということが理論的に証明できることに感心しました。確率の考え方が物理に使えることを学んだのもこの本からでした。

都筑卓司の解説書を読んで特に魅力的に感じたのは、物理学の法則が普遍的なものであり、宇宙の始まりから未来永劫まで変わることなく成り立つという点です。

小学校に上がる前に父方の祖父が亡くなった時に、私は自分の命が有限であることを知りました。その時のことを何度も振り返るうちに、死とは目覚めることのない眠りのようなものだと思うようになりました。祖父が死んでしまっても自分は生きているので、自分が死んで意識がなくなっても世界は進んでいくに違いない。そんなことを考えて、不思議な気持ちになったりもしました。

そのため物理法則の普遍性にひかれました。私自身は有限の命しかないけれど、物理法則は私が生まれる前から未来永劫まで宇宙のことをすべて説明してくれる。この世界には普遍的な法則があって、私たちはそれを知ることができる。それは素晴らしいことだと思いました。

さらにもうひとつ、小学生時代の知的好奇心を満たしてくれた本として、小学館の『万有百科大事典』[*6]は忘れることができません。『ジャンル・ジャポニカ』とも呼ばれていて、その名前のとおり、百科事典としては珍しく五〇音順ではなく、ジャンル別の構成でした。特に「美術」「哲学・宗教」「日本歴史」「世界歴史」「物理・数学」の巻が面白く、事典を引くというより本として読みふけりました。

先ほど自由書房で様々な本に出合ったという話で、本を斜め読みするという時に使う「ブラウズ」という言葉を紹介しました。これはインターネットの「ブラウザー」の語源でもあります。私が小学生の時にはインターネットがなかったので、百科事典は数少ない総合的な情報源でした。そこで、インターネットの代わりに百科事典をブラウズしていたのです。百科事典の項目を読む時は、その周りの項目も眺めてみました。思いがけない項目に出合うこともあり、知識が拡がりました。こういうブラウズは、グーグルのピンポイントの検索では難しいように思います。

百科事典と言えば、二〇一九年にお亡くなりになったマレー・ゲルマンさんの話を思い出します。ゲルマンさんは二〇世紀の物理学の巨人で、素粒子とその間に働く力の分類によってノーベル物理学賞を受賞しています。私はカリフォルニア工科大学でゲルマンさんのオフィスを引き継いだので、ゲルマンさんが活躍されていた頃に大学院生や研究員だった人が立ち寄って昔ばなしを語ってくれることがあります。ゲルマンさんはブリタニカ百科事典を子供の頃に読破して、しかも全項目を完璧に諳《そら》んじていたのだそうです。昼食の時間などに雑談をしていて、ある項目について「ブリタニカにはどう書いてあったか」と問われると、ゲルマンさんはその項目の全文を暗唱し、さらにその前と後の項目がなんであったかまで思い出すことができたということです。

私も万有百科大事典をずいぶん読み込みました。しかし、ゲルマンさんにはとてもかないません。アルファベット順のブリタニカのように万有百科大事典が通巻で五〇音順だったら、とても読破できなかったと思います。

アルキメデスの原理の説明を自分で考える

万有百科大事典を読んで特に面白かったのは、「世界歴史」や「物理・数学」の巻に登場する古代ギリシアの科学者や数学者たちの話でした。アルキメデスが書き残したテコの仕組みを応用する器械や、サイフォンの原理を使ったヘロンの噴水は、小学生でも家にあるもので作ってみることができます。直角三角形の辺の長さについてのピタゴラスの定理の項目を読んで、そこに書いてある以外の証明を考えてみたこともあります。

エラトステネスが、夏至の正午にアレキサンドリアとシエネで太陽が落とす影の角度を測り、その違いから地球の半径を見積もった話を読んだのもその頃でした。中日ビルの展望レストランから地球の大きさを測った時に、このエラトステネスの話を知っていたかは覚えていません。もしかしたらこの話が頭にあったのかもしれません。

百科事典の「物理・数学」の巻には、当時最先端の半導体や超伝導、また原子核物理学のような話題も載っていました。しかし小学生が実験で確かめられるものではないので、お話として読むしかありませんでした。これに対し、アルキメデスやヘロンの実験は自宅でも簡単に試してみることができます。ユークリッドの素因数分解やピタゴラスの幾何学なら論理を追うことができます。自分で手を動かし、自分の頭で考えて納得できる古代ギリシアの科学や数学は、小学生の私にも楽しいものでした。

浮力についても家庭でできる実験がたくさんありました。たとえば「ういてこい」です。一リットルぐらいのペットボトルとお弁当の醬油を入れるプラスチックの「たれ瓶」、たれ瓶の口に合うナットがあれば簡単にできるので、お子さんのいる方には特におすすめです。たれ瓶は、魚の形のものがあると「ういてこい」らしくてよいと思います。

ペットボトルに水を八分目ぐらいまで入れておきます。たれ瓶の蓋を外して、口にナットをねじ込みます。ナットは重りなので、なければ針金や安全ピンで代用することもできます。たれ瓶の中の水と空気の量を調節して、ペットボトルの水面からほんの少し顔を出すぐらいにしてください。たれ瓶を入れてからペットボトルの蓋を締め、真ん中をギュッと押すと、たれ瓶がフワフワと沈んでいきます（図3）。手を離すとフワフワと浮いてきます。たれ瓶に釣り針のように曲げた針金を取り付け、ペットボトルの底にプラチェーン（プラスチック製のおもちゃの鎖）を沈めておくと、たれ瓶の釣り針でプラチェーンを釣り上げる遊びもできます。

百科事典で浮力について調べると、アルキメデスの原理の解説がありました。たれ瓶に働く浮力は、たれ瓶が押しのけている水に働く重力と同じ大きさであるという原理です。

この原理の説明としてよく見かけるのは、たれ瓶を取り去って、たれ瓶のあったところを水で置き換えるというものです。その場合には、水の中に水があるのだから、浮きも沈みもしない。つまり、その部分が水なら、浮力と重力は釣り合うことになります。それが納得できたら、もう一度たれ瓶を沈めてみましょう。浮力はたれ瓶の表面を水が押す力なので、水に働いても、たれ瓶に働いても同じはずです。水に働く浮力と重力は釣り合っていたのだから、たれ瓶に働く浮力はそこにあった水に働く重力と同じ大きさになるというわけです。

これは巧みな説明です。著名な数理物理学者である戸田盛和が身近にあるおもちゃを科学者の目で考察する名著『おもちゃセミナー』[*7]の「ういてこい」の章にも、この浮力の説明は「大変エレガント」と書いてあります。

しかし私は気に入りませんでした。説明は理解できました。しかし、そもそも浮力とはどのように生じて、それがどのような仕組みで水の重さと同じになるのかという根本的な疑問には答えていません。心の底から「わかった」と思いたかった私は、別の説明を考えてみました。

水に沈めた物体に働く力としては、地球が物体を引き付ける重力と、水が物体の表面を押す水圧

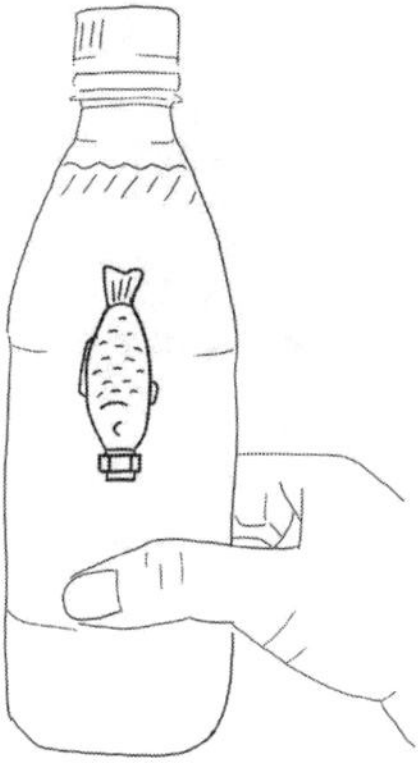

［図3］ペットボトルとたれ瓶、ナットで作る「ういてこい」

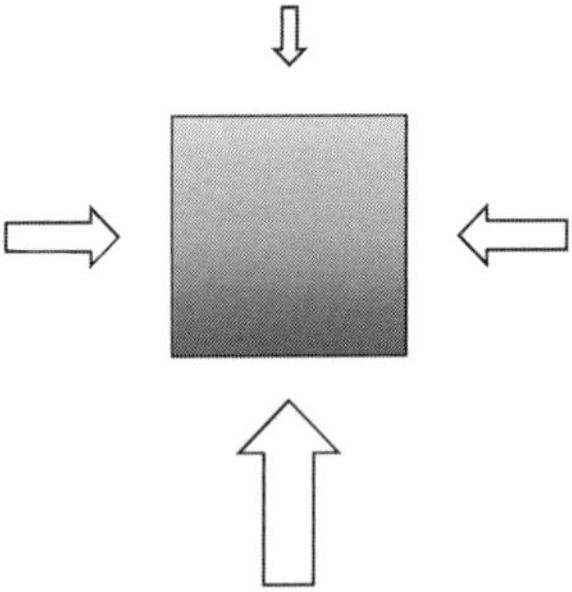

［図4］**アルキメデスの原理の説明**

サイコロを水に沈めると、前後左右の水圧は釣り合うが、下の面にかかる水圧は上の面の水圧より大きい。その差はちょうどサイコロの体積の水の重さである。

しかありません。ですから、表面にかかる水圧を全部加えたものが浮力になるはずです。

物事を理解する時には簡単な設定から始めるのが物理学の流儀です。たれ瓶は形が複雑なので、形が簡単なサイコロに置き換えて考えましょう。サイコロを上下の面が水平になるように水に沈めたとします。垂直な面にかかる水圧は前後左右で相殺《そうさい》されるので、上下の面の水圧だけを考えればよいはずです。水圧は水の深さに比例して大きくなるので、下の面にかかる水圧は上の面より強い。水圧は水の重さが原因なので、上下の水圧の差はちょうどサイコロの体積と同じ量の水の重さになる（図4）。これが浮力として働くので、浮力は「サイコロが押しのけている水の重さ」だということがわかりました。

これでアルキメデスの原理がしっかりと腑に落ちました。「物体を水に置き換える」という巧妙でエレガントな説明より、浮力の仕組みを本質的に理解できたと感じたのです。

サイコロが水平に沈んでいる時の浮力はこれで説明できました。しかし、もっといろいろな形の物体についてはどうでしょうか。たとえば、魚の形のたれ瓶に働く浮力も、たれ瓶が押しのけている水の重さと同じになるのはなぜでしょう。それを説明するのには高校の数学で登場する「積分」の知識が必要です。どんな形の物体でも、細かく切り分けて立方体の集まりとして考えれば、立方体に働く浮力に帰着して説明できるのです。もちろん小学生の私にはそこまで自分で考えることはできませんでした。しかし、微積分につながりそうな話だったことも含めて、自分の頭で考えることの面白さを十分に感じた経験でした。

「天から送られた手紙」を解読するという冒険

中学校に進むと「算数」が「数学」になり、勉強の仕方も変わりました。万有百科大事典の古代ギリシアの数学の項目を読んでいたので、定理を証明する時の厳密な論法のことは知っていました。しかし期末試験などの限られた時間に具体的な問題を解くのは苦手でした。そのため中学一年生の時の数学の成績はあまりよくありませんでした。

数学ができるという手応えを感じるようになったのは、二年生の時に数学の先生が毎週ガリ版刷りの数学パズルを出題してくださるようになってからです。宿題としてではなく、やる気のある人は挑戦してみなさいと渡してくださって、レポートを持っていくと丁寧に添削してくださいました。虫食い算のように可能な組み合わせを順番に探していくと解けるものもあれば、一本の補助線で目の覚めるように視界の開ける幾何の問題もあり、私は夢中になって取り組みました。抽象的にはわかっていたつもりのことでも、具体的な問題に当てはめて解くことでいろいろな側面から考え直すことができ、数学の深い理解が得られたように思います。難しいパズルを解くことで、問題を集中して考える習慣もつきました。

その頃になると、子供向けの解説書だけではなく、科学者が自分の言葉で書いた本も読むようになりました。なかでも中谷宇吉郎の『雪』[*8]は印象に残りました。中谷は、一九三六年に実験室での雪の結晶の合成に世界で初めて成功した物理学者です。彼が「北海道で行った研究の経過及びその結果をなるべくわかりやすく書いた」この本は、一九三八年に岩波新書が創刊された時に最初の二〇冊のひとつとして出版され、以来ロングセラーとなりました。その後一九九四年に、中谷の生地である石川県加賀市に「中谷宇吉郎　雪の科学館」が開設された時に岩波文庫に収録され、新字体・新かな遣いで読めるようになりました。

この本に出てくる「雪は天から送られた手紙である」という言葉は有名ですので、お聞きになったことのある方もいらっしゃるでしょう。この言葉の意味は『雪』を最後まで読むとわかります。少し長いですが、最後の章「雪を作る話」から引用します。

「さて、雪は高層において、まず中心部が出来それが地表まで降って来る間、各層においてそれぞれ異る生長をして、複雑な形になって、地表に到達すると考えねばならない。それで雪の結晶形及び模様が如何なる条件で出来たかということがわかれば、結晶の顕微鏡写真を見れば、上層から地表までの大気の構造を知ることが出来るはずである。そのためには雪の結晶を人工的に作って見て、天然に見られる雪の全種類を作ることが出来れば、その実験室内の測定値から、今度は逆にその形の雪が降った時の上層の気象の状態を類推することが出来るはずである。」

これが、中谷が人工雪の制作に挑んだ理由でした。中谷はこう続けます。

「このように見れば雪の結晶は、天から送られた手紙であるということが出来る。そしてその中の文句は結晶の形及び模様という暗号で書かれているのである。その暗号を読みとく仕事が即ち人工雪の研究であるということも出来るのである。」(傍線筆者)

中谷は、結晶の形が空気の温度と湿度にどのように影響されるかを人工雪の実験で明らかにしました。それをまとめた「ナカヤ・ダイアグラム」は世界的に知られた業績で、今日に至るまでこの分野の基礎となっています。結晶の形から上空の温度と湿度がわかるこのダイアグラムは「天から送られた手紙」を解読するための暗号表のようなものなのです。

この本には、中谷がどのように思案し工夫をし、天から送られた手紙を読み解いていったのかが臨場感をもって書かれています。当時あまり手の付けられていなかった雪という分野を開拓していったパイオニアの姿を読み、科学の研究は素晴らしい冒険だと感じました。

現在、私が機構長を務める東大のカブリ数物連携宇宙研究機構の本棟は、三階から五階までが吹き抜けの交流広場になっています。交流広場の中心には、こんな言葉を刻んだ柱がオベリスクのように立っています。

L'universo è scritto in lingua matematica

これは「宇宙は数学の言葉で書かれている」という意味のイタリア語で、ガリレオが『偽金鑑識官』[*9]に書いた「宇宙という偉大な書物を読むためには、そこに書いてある言葉を学び、文字を習得しておかなければならない。この書物は数学の言葉で書かれている」から引用したものです。このガリレオの言葉には、中谷の「(天から送られた手紙の)中の文句は結晶の形及び模様という暗号で書かれているのである」に通じるものを感じます。雪の研究でも宇宙の研究でも、科学とは自然から送られてきた暗号を読み解く作業なのです。

大学までの勉強の三つの目標

日本人は義務教育の九年間、さらに高校大学まで行く人は一六年間を勉強に充てます。一人ひとりがこれだけの時間の投資をするのですから、勉強の目標を考えるのは大切なことです。

欧米の教育には「リベラルアーツ」という伝統があります。これは古代ギリシアやローマの時代に始まったもので、リベラルとは自由、つまり奴隷ではないという意味です。リベラルアーツとは、自らの意思で運命を切り開いていくことが許される自由人の教養を意味します。

このリベラルアーツには、合理的な思考法を学ぶ算術、幾何、天文の三科目と、説得力のある言葉で語るための論理、文法、修辞の三科目、これに音楽を加えた七科目があります。つまり、自分の頭で合理的に考え、それを説得力のある言葉で語ることができることが自由人の必要条件だったのです。

これを参考に、大学までの勉強には次の三つの目標があると私は考えています。

1　自分の頭で考える力を伸ばす

2　必要な知識や技術を身につける

3　言葉で伝える力を伸ばす

1と3の目標はリベラルアーツにならい、2の目標はそのために必要なものとして入れました。

日本の教育基本法の第一条には、教育の目的は「人格の完成」と「平和で民主的な国家及び社会の形成者として必要な資質を備えた心身ともに健康な国民の育成」であると定められています。民主主義が機能するには、上から押しつけられた結論を受け入れるのではなく、自分の頭で自由に考え判断できる国民が必要です。また、インターネットからの情報の洪水に押し流されず、本質を捉え、新しい価値を創造するためには、自分で考える力がこれまで以上に大切になります。これが私の考える1の目標です。

数学の勉強も自分の頭で考える練習になります。数学では、権威や宗教に頼らず、万人に受け入れられた論理だけを使って真実を見出す方法を学ぶからです。リベラルアーツに算術と幾何の二科目が入っていたのもそのためだと思います。

2の「必要な知識や技術を身につける」というのは、教育の目標として納得しやすいものです。自分の頭で考えると言っても、知識がなければ深い考えを持つことはできません。また、卒業後に社会に貢献する職業に就くためにも、知識や技術は重要です。

私は、学校での勉強のほかに、様々な本からも学びました。インターネットのない時代に、書店にはこの世界についてのあらゆる知識が私を待っていました。カリフォルニア工科大学の教授になった時に、この大学の校訓が、『ヨハネによる福音書』にある「真理はあなたを自由にする」という言葉だと聞いて、柳ヶ瀬にあった自由書房のことを思い出しました。真理を知ることで自らの意思で運命を切り開いていく自由人になれる。自由書房は名前のとおりに私を自由にしてくれた場所でした。

3の「言葉で伝える力を伸ばす」は日本の教育の弱点です。日本人は英語が苦手なので国際的な場面で損をしているとよく言われます。しかし、私は英語教育だけでなく、国語も含めた言葉の力の育成を総合的に考え直す必要があると思っています。これは重要な問題なので、本書第三部の「言葉の力を徹底的に鍛える米国の教育」の節で改めて議論します。

この三つは大学までの勉強の目標です。大学院に進むと全く別の目標が待っています。それについては、本書第二部の「大学院でつけるべき三つの力」の節でお話ししましょう。

コラム 旅をともにしてきた「紙の本」たち

子供の頃から本に囲まれて育ったので、京大の下宿には一〇〇〇冊の本を持って行き、それが大学院を卒業する頃には五〇〇〇冊になりました。気に入った本は何度も読み返すので、本書に登場する本たちは日本と米国の大学を移籍するたびについてまわり、太平洋を四回横断しました。

ともに旅をしてきた本たちの約半分は数学や物理学などの自然科学の専門書、残りの半分は文学や芸術、哲学、歴史、社会科学などの文系の本です。日進月歩している数学や物理学でも古い本は大切です。いったん証明された数学の定理や、実験や観測によって検証された物理学の理論は、将来も否定されることはなく、さらなる進歩の土台として残るからです。たとえばニュートン力学の根幹は一七世紀から同じで、今でも自然界の真実の側面を表しています。数学や物理学で古典とされる本を読むと、最近の教科書には書かれていない深い洞察に出合うこともあります。

最近は断捨離ということで蔵書を整理し、電子書籍も使うようになりました。カリフォルニアに住んでいても読みたい和書がすぐに手に入れられるのは便利だし、旅行に何冊持って行っても荷物にならないのもありがたい。しかし、ページをぱらぱらとめくって情報を探したり、何冊も本を広げて引き比べたりする時の使いやすさでは、紙の本の方が優れています。

デジタル・ネイティブ世代の私の娘も、重い教科書を何冊もカバンに入れて持ち歩いています。米国東海岸の寄宿学校フィリップス・エクセター・アカデミーに入学した時に、授業で使うのでタブレットPCを購入するようにと学校から連絡がありました。しかし、一年使ってみたら実はあまり役に立たなかったということで翌年から使わなくなり、買わされた親たちが憤慨したことがありました。

人の話はノートを取りながら聞くと頭にすっきり入ります。相手を見て、話を耳で聞くとともに、手を動かすことで、ひとつの情報が様々なチャンネルを通じて頭に入り、思考が整理されるからです。次の章の「フロベニウスの定理と立ち食い蕎麦」の節で登場するフロベニウスの定理の証明をいまだに忘れないのも、真冬の米原駅の寒さと雪景色、そしてホームの立ち食い蕎麦《そば》の香りや味と結びついているからです。同じように、本とは活字のデジタルな情報の集まりだけではありません。紙の本では、装丁や挿絵、紙の手ざわりも大切です。何度も読んだ本は、手に取っただけで、どこに何が書いてあったかを思い出せます。

紙の本は長期の保存にも優れています。数年前に、自宅の近くのハンチントン図書館でアルキメデスの企画展がありました。紀元前三世紀にアルキメデスが数学の積分の方法をエラトステネスに解説した手紙は、ローマ帝国崩壊後にビザンツ帝国に伝わり、十字軍によるコンスタンティノープルの略奪から行方不明だったのが、今から二〇年ほど前にクリスティーズの競売に現れ、匿名の篤志家の寄付により修復されました。ハンチントン図書館の展示を見ていると、小学生の時に万有百科大事典で名前を知り今でも毎日のように研究に使っている積分の方法を見出したアルキメデスが、二三〇〇年の時を超えて語りかけてきました。

私のように数学や物理学を研究する者は、二三〇〇年前も現在も、また宇宙のどこに行っても成り立つ真実の発見を目指します。そして、それがいつかは人類の役に立つことを願う。そのため、研究成果が将来の世代に確実に伝えられるかどうかは気になります。数学や物理学では電子論文アーカイブが研究発表の標準になっていて、世界のどこにいても最新の研究成果が手に入ります。しかし、現在使われているデータ形式が数世代後にも解読できる保証はありません。また、全世界のデータセンターの電力消費は総電力の一パーセントにもなると言います。持続可能な記録媒体としては、今のところ紙の本に勝るものはないと思います。

2 考え方を鍛える

受験対策で古代の哲学者たちに出会う

中学校で集中して勉強する習慣をつけ、また学習塾にも行っていなかったので、高校に入っても学校の勉強をする以外に時間がたっぷりありました。そこでいろいろな本に手を出してみました。哲学書を読むようになったきっかけは受験対策でした。

私たちが大学入試をする前年に、共通第一次学力試験が始まりました。それまで各大学が独自に行っていた選抜テストを、国公立大学については共同で行うという制度でした。私たちの学年は開始二年目でしたので手探りで準備していると、社会では「倫理・社会」が点を取りやすいらしいという噂を耳にしました。それを信じて社会のひとつは「倫理・社会」を選択し、そのカリキュラムの一部として哲学史を勉強することになりました。

受験対策とはいえ、いろいろな哲学者と出会えたのはよい経験になりました。小学生の頃から万有百科大事典を読んでアルキメデスのような古代ギリシアの科学者たちの名前を知っていたので、古代ギリシアの哲学者たちには親しみが持てました。そこで古代ギリシアの哲学から入門しました。

とりわけ面白かったのはプラトンの『ゴルギアス』[*10]でした。当時のアテネは民主政を採用していたので、人々を説得する弁論術に長《た》けたソフィストと呼ばれる人たちが活躍していました。ゴルギアスもそうしたソフィストのひとりです。プラトンのこの本では、ソクラテスがゴルギアスやその弟子ポロス、政治家のカリクレスなどと語り合います。哲学的な内容だけでなく、対話劇としても楽しく読めました。

ゴルギアスは、他者を説得する技術である弁論術は「自分自身には自由」をもたらし「他人を支配」できるようにするから「本当の意味で最大の善いもので」あると主張します。しかしソクラテスはこの技術が悪用されうることを対話の中で明らかにしていきます。

後半になるとカリクレスが登場します。これが強烈なキャラクターで面白い。アテネの「勝ち組」の代表選手のような存在で、「正義とは、強者が弱者を支配し、そして弱者よりも多く持つことである」などと堂々と言い放ちます。岩波文庫版の解説によると、カリクレスの論理は「ヨーロッパ文学の中で背徳者の立場を最も雄弁に説いたもの」とされ、ニーチェの思想にも影響を与えたそうです。現実政治を代表するカリクレスと哲学者ソクラテスの対決は読み応えがありました。

この本で議論されている「民主主義において宣伝の力をどう制御するか」、「伝統的な規範が崩れてしまった社会で道徳をどう再建するか」などは、今日的な問題でもあります。

ソクラテスとカリクレスの対話の中心にあるのは、人生はどのように生きるべきかという問題です。この問いは、死刑判決を受けたソクラテスが無実を訴える『ソクラテスの弁明』[*11]にも、「吟味されない人生は、人間にとって生きるに値しない」という有名な言葉とともに登場します。岩波文庫で『ソクラテスの弁明』と組み合わされている『クリトン』[*11]でも、ソクラテスは「大切なのは、単に生きることではなく、よりよく生きることだ」と語ります。幼少からの友人クリトンが処刑前夜のソクラテスに脱獄を勧めると、ソクラテスはそう言って断るのです。

私が小学生の時に百科事典で出会った古代ギリシアの科学者たちは、理性の力で自然の仕組みを理解しようとしました。ソクラテスは、この方法を人間の生き方の問題に向けた、ギリシアではおそらく最初のひとりでした。それまで宗教に答えを求めていた問題に理性の光を当てたのです。

今から約二五〇〇年前には、ギリシアのソクラテスのほかに、中国では孔子が、インドでは釈迦が、一〇〇年ぐらいの短い期間に登場しました。この三人はいずれも、理性の働きを観察し、それについて深く考えることで、この世界の中で私たち人間はどのような位置を占めているのか、そこで私たちはどのように生きるべきかを洞察した全く新しいタイプの思想家でした。それまでの思想や宗教は特定の民族にのみ当てはまるものでした。これに対し、ソクラテス、孔子、釈迦は、狭い地域的な関心を超越した人類全体の普遍的な問題に取り組んだのです。

なぜ彼らがほぼ同時期に登場したのかは歴史の謎とされています。しかし、科学の研究でも同じ発見が異なる場所で独立になされることはよくあります。有名な例としては、ニュートンとライプニッツによる微積分の同時発見、ダーウィンとウォレスによる自然選択の同時発見があります。直接交流がなくても、その時代の問題意識が共有されていれば、問題を解く技術が熟成された頃に同時多発的に発見が起きるのです。ニュートンやダーウィンには及びもつきませんが、私も、自分で重要だと思う研究を完成に近づけている時には、他にも同じことを考えている研究者がいるのではないかとドキドキすることがあります。

ソクラテス、孔子、釈迦の場合にも、ギリシア、中国、インドといった古代文明の中心地では、生産技術の進歩による生活の向上と文明間の交流により、ほぼ同じ頃に、人類の普遍的問題を考える人々が現れる環境が整っていたのだと思います。

ギリシア哲学の本が面白かったので、近代に書かれた哲学書も何冊か読んでみました。

デカルトが到達した真理探究の方法

近代哲学の祖と呼ばれるルネ・デカルトは、中学の数学で学ぶ直交座標を考案した人でもあります。その合理的な考え方は理系の私にも親しみやすいものでした。

彼の『方法序説』[*12]は、一七世紀にプロテスタントとカソリックが戦った三〇年戦争に従軍したデカルトが、ドイツのドナウ河畔の村に滞在したところから始まります。父親の遺産のおかげで働く必要はなく、志願兵として入隊したので軍隊の中でも行動は自由なものでした。滞在先の家でも「終日ただひとり炉部屋にとじこもり、ゆっくり落ちついて、様々の思索」にふけることができました。青年将校だったデカルトは、この思索を終えて炉部屋を出る時には哲学者になっていたのです。

『方法序説』にはデカルトの思想が自身の成長とともに語られており、哲学の古典の中では読みやすい文章です。

書名にある「方法」とは真理を探究するための方法という意味です。刊行当時の正式名称は『理性を正しく導き、すべての科学において真理を探究するための方法の序説』で、光学、気象学、幾何学に関する三つの論文の序文でした。たとえば、直交座標についてのアイデアは、この幾何学に関する論文に書かれています。

デカルトは「幼少の頃から書物の学問で育てられ」、「ヨーロッパの最も有名な学校の一つ」で勉強します。しかし、「種々雑多な人たちの意見で少しずつ組み立てられ大きく太らされてきたような学問は、良識ある一箇の人間が生まれつきの固有の力を持って進め得る単純な推論ほどには真理に近づけるものでない」と悟ります。そこで、「世間という大きな書物」から学ぶためにオランダの軍隊に入隊して諸国をめぐります。その経験から、自らの良識だけに基づき「闇の中をただひとりで歩く人のように、そろそろ行く」ことを決意するのです。

このようにしてデカルトが到達した方法は、「明証」「分析」「総合」「枚挙」という四つの規則からなっています。有名な一節なのでご存知の方も多いでしょう。

「第一は、明証的に真であると認めることなしには、いかなる事をも真であるとして受けとらぬこと」

「第二は、……できうるかぎり多くの、……小部分に分割すること」

「第三は、私の思索を順序に従ってみちびくこと」

「最後のものは、……どの部分についても完全な枚挙を、……あらゆる場合に行うこと」

第一の「明証」で述べているのは「簡単にわかったと思ってはいけない」ということです。疑う隙もないほど明らかになるまでは真理だと認められない。そういう高い水準の理解にいたる方法が「分析」「総合」「枚挙」の三つです。まずは物事をできるだけ細かく分けて「分析」し、それを順序にしたがって「総合」する。さらに、見逃しや取り落としがないよう、あますところなく「枚挙」してチェック

［図5］ルネ・デカルト（1596–1650）

しなさい、というわけです。

デカルトは数学に触発されてこのルールを作りました。彼は「幾何学者らが、かれらの最も骨の折れた証明にたどりつくために、常に用い慣れた、実に単純で容易な、論拠から論拠への長い鎖は、何かのおりに私にこんなことを考えさせたのである」と書いています。つまり数学の方法を哲学に当てはめたのが『方法序説』の四つの規則だったのです。これは理系の私には素直に理解できる考え方でした。

デカルトは、ガリレオの同時代人として一七世紀の科学革命を目撃していました。そのため自然科学についても深い考察をしています。『方法序説』の第五部では、物理学や天文学だけでなく、化学、生理学から心理学までもが議論されています。

人間の行為を模倣する機械があったとして、それが本物の人間でないことをどうやって判定するかという問題も考えています。何を観察することで知性の有無が判定できるのか。知性の判定は、計算機理論で重要な仕事をしたアラン・チューリングが一九五〇年に発表した論文「計算機と知性」でも取り上げられ、そこで提案された方法は「チューリング・テスト」として有名になりました。人間と機械をどう区別するか、そもそも知性をどう定義するかは、ＡＩ技術の発達によって現実的な問題となっています。デカルトは、このような問題を四世紀も前に考えていたのです。

しかしこの本にも理解できない部分はありました。デカルトが「われ思う故にわれ有り」という命題を哲学の第一原理とし、それからすべてを解明しようとしたことは、皆さんもご存知でしょう。そこまでは私にも理解できました。しかし、それを使って神の存在を証明しようとするところは納得できませんでした。

デカルトは「私どもがきわめて明白に、きわめて判然と、概念するものはすべて真だということを一般規則」とします。しかし、概念があるからといって、それに対応する実体があるとは限りません。作られた概念がひとり歩きして考えを縛ってしまうこともあります。また、「明白」とか「判然」というのは主観的なものであり、真理の判定基準としては不完全ではないのかという疑問も持ちました。

納得のいかなかったカントの『純粋理性批判』

納得のいかなかった哲学書といえば、高校時代に読んだ本の中ではエマニュエル・カントの『純粋理性批判』[*13]がその代表格です。

カントはこの本で「私たちは何を知ることができるか」を問います。「神は存在するか」、「人間は自由意志を持つか」、「霊魂は不死か」といった問題は古代から議論されてきました。

カントは、理性の限界を見極めることで、人間にはこのような問題に答える能力がないことを論証しようとします。私はデカルトによる神の存在証明に納得できなかったので、カントがこれらの問題をどのように考えたかを知りたくて読みました。

カントは、形而上学を基礎づけるために「アプリオリな総合判断」というものが可能であると主張します。そして数学と物理学から「アプリオリな総合判断」の例を提示します。しかし、これは私の数学や物理学に関する理解とは異なっていました。

「アプリオリ」とは経験に基づかないという意味です。たとえば、数学の判断が経験に基づかないものである、つまりアプリオリであることは私にも納得できました。

「総合判断」とは議論の前提に含意されていない判断のことです。カントは「数学的な判断はすべて総合的な判断である。この命題は、議論の余地のないほど確実なものであり、そのためにきわめて重要なものである」と書いています。しかし、「議論の余地のない」どころか、私はこの主張は間違っていると思いました。

数学的な判断が総合判断であることを示す例としてカントが挙げたものに、ユークリッド幾何学の定理があります。しかし、ユークリッド幾何学の定理は公理から論理的に導かれるものです。公理を変えれば、三角形の内角の和が一八〇度にならない非ユークリッド幾何学の定理を導くこともできます。そのような幾何学もありうるということは、幾何学の定理が総合判断ではないことを意味しています。

また、カントは物理学の「質量保存の法則」が、「必然的なものであり、これらがアプリオリに作られた命題であることは明らか」と主張します。しかし、アインシュタインの相対性理論によると、質量は必ずしも保存せず、様々な形態のエネルギーに転換することができます。質量保存の法則は、私たちの日常の世界で近似的に成り立っている法則にすぎません。日常生活を離れた、たとえば原子爆弾の爆発やブラックホールの合体のような現象では、質量は保存していません。質量保存の法則はアプリオリではなく、私たちが経験から導いた判断なのです。

私は小学生の時にブルーバックスの『はたして空間は曲がっているか』を読んでいたので、非ユークリッド幾何学や相対性理論のことを知っていました。これらはカントが亡くなってから明らかになった知見なので、これをもってカントを批判するのは後出しジャンケンとも言えます。しかしカントは、「形而上学は……アプリオリな総合命題だけで構成されるもの」であり、「純粋理性のほんらいの〈課題〉は、アプリオリな総合判断はどのようにして可能になるかという問いを明らかにすることにある」と書いています。また、「形而上学が存在し続けるか、それとも滅びるかを決定するのは、まさにこの課題を解決できるか」にかかっているとも書いています。「アプリオリな総合判断が可能である」という核心的な主張の証拠として提示された数学と物理学の例がいずれも間違っていたのは、カントの論証にとって致命的だと思いました。

哲学と科学の交流から生まれる新しい世界観

デカルトやカントの著書には納得できない部分もありましたが、当時最新の科学や数学の研究成果に関する知的好奇心とそれらを自らの哲学に取り入れようとする積極的な姿勢が感じられます。ニュートンの力学による惑星の運動の解明をはじめとする科学の成功は、近代人に世界のあり方についての新しい見方を提示しました。デカルトやカントの哲学にはこうした科学的世界観が反映しています。逆に、彼らの哲学は、一九世紀の熱力学や統計力学、二〇世紀の相対性理論や量子力学の発展に影響を与えました。

これと比較すると現在では哲学と科学は疎遠になっています。その理由のひとつとしては「科学者が発見したと称する自然界の法則は社会的構築物にすぎず、そこには社会的文化的な制限を越えた客観的な意味はない」とするポストモダン哲学の影響があると思います。

ポストモダン哲学の先駆となった構造主義の頃には、まだ哲学と科学との間に交流がありました。たとえばクロード・レビ＝ストロースの『親族の基本構造』[*14]では、オーストラリアの先住民であるムルンギン族の婚姻制度が数学の群論の考え方を使って分析されています。その群論の使い方については、当時最高の数学者のひとりだったアンドレ・ベイユが協力しました。逆に、構造主義の考え方はフランスの数学者集団「ブルバキ」の活動にも影響を与えました。

しかし、このような数学と哲学の有意義な交流は、構造主義を発展させ超克しようとする動きの中で失われてしまいました。

一方、科学の側でも専門化が進むことで異分野との交流がなおざりになってきたという事情があります。

しかし、今世紀になってからの量子物理学、素粒子物理学、宇宙論などの発展は哲学に新しい課題を投げかけています。科学と哲学の境界を越える研究の種はたくさんあります。

そこで私が機構長をしている東大のカブリ数物連携宇宙研究機構は、『なぜ世界は存在しないのか』*15などの著作で日本でも知られているボン大学の哲学者マルクス・ガブリエルさんの研究所と協定を結び、哲学者たちとの交流を進めることにしました。二〇一九年の秋にガブリエルさんがニューヨーク大学に客員教授として滞在されていた時に交流協定の調印式を行い、その後でグリニッジビレッジの喫茶店で「現代科学の視点から古典的な哲学的問題を問い直し、二一世紀の新しい形而上学を構築しよう」と盛り上がりました。

デカルトやカントの時代のように、哲学と科学の交流が新しい世界観をもたらし、それが科学のさらなる発展につながることを期待しています。

研究の価値は何で決まるのか

哲学書のほかに数学者や物理学者の著作も何冊か読みました。その中で特に大きな影響を受けたのは、フランスの偉大な数学者アンリ・ポアンカレの『科学と方法』[*16]でした。この本の終盤でポアンカレは重要な問いかけをします。

大きなリターンをもたらす発見とそうでない発見があるのはなぜか。

どんな分野にも様々な研究があり、誰にも読まれずに埋もれてしまう論文がある一方で、新しい学問分野を生み出し、さらには社会そのものを変革するような、強い影響力を及ぼす論文もあります。その違いはいったいどこにあるのか。

現役の研究者にとってはドキリとするような問いです。科学者に憧れていた高校生にとってもきわめて興味深いテーマでした。もし自分が科学者を職業にするのなら、どのような研究をすべきなのか。どのような研究に価値があるのか。どうしたら大きなリターンのある研究ができるのか。

発見の価値についてポアンカレは次のような比較をします（岩波文庫版は旧字体で読みにくいので、以下 Thomas Nelson & Sons の英語版から和訳しました）。

「その特定の事実以外には何も教えず、何も新しいものを生み出すことのない発見がある。……これに対し、その一つひとつが新しい法則を教え、大きなリターンをもたらす発見がある。研究者は、選択をしなければいけない以上、後者のような発見に取り組むべきである。」

そして、こう述べます。

「こうした方向に科学が発展していくと、それらを結びつけるものがより鮮明に表れてくる。普遍科学の地図の全貌が垣間見られるのである。」

学問が進歩すると分野が分かれ専門化していきます。そうして分かれていった分野の間に新たなつながりをつける力のある発見が大きなリターンを生み出すというわけです。

つまりポアンカレは普遍的な法則を見つけることに科学の価値を見出しているのです。普遍性のある発見は、幅広い分野に影響を与え、それらの発展を促し、科学全体に大きな貢献ができるからです。

［図6］アンリ・ポアンカレ（1854–1912）

ポアンカレはそれを「湧水が流れ出し、四つの盆地を満たすスイスのサンクト・ゴッタルド峠」のようなものだとたとえました。普遍性の高い発見のすそ野は分野を超えて広がっていく。グーグル検索では、多くのウェブサイトからリンクされているページが上位に表示されるようになっています。研究においても、より幅広い分野にリンクされる普遍性の高い発見に価値があるのです。

このポアンカレの考え方は今でも常に頭の片隅にあります。新しい研究テーマに取り組む時には、「このプロジェクトには普遍的な価値があるか。より広い分野にインパクトを与えることができるか」と自分に問いかける。科学者として大きなリターンを生む研究をするには、そういう姿勢が求められることを私はポアンカレから学びました。

物理学・数学の歴史から学んだこと

共通一次試験の社会で「倫理・社会」を選択したおかげでいろいろな哲学者の考え方に出合えたのはよいことでした。しかし点数が取りにくいという理由で「世界史」を敬遠したことは後悔しました。歴史から学ぶことは多いからです。

世界史は選択しなかったものの、高校生の時には歴史の本もたくさん読みました。ここではその中から物理学や数学の歴史に関する本をご紹介しましょう。

物理学史では朝永《ともなが》振一郎の『物理学とは何だろうか』[*17]を挙げます。朝永は一九七九年に亡くなる直前までこの本の執筆に取り組み、下巻は残念ながら未完となっています。上下巻とも私が高校三年生の時に出版されました。

ニュートンが運動の方程式や万有引力の法則などによって力学を定式化してからの二世紀ほどの間、物理学のメインテーマは惑星の動きなどに代表される「物体の運動」でした。

しかし、物理学は「基本原理に立ち返って考える」という方法を使ってあらゆる自然現象を説明しようとします。一九世紀になると「熱現象」の理解が物理学の重要な問題として浮上しました。その背景には産業革命がありました。蒸気機関をより効率的にするにはどうしたらよいか。あるいは製鉄工場で熱した鉄の色が温度によって変わるのはなぜなのか。物理学者たちはこうした問題を「基本原理に立ち返って考える」ことで解こうとしました。

そのためには、「熱」や「温度」という身近な概念を考え直さねばならず、また「エントロピー」という新しい概念も必要になりました。熱現象をミクロな分子の立場から説明するために統計力学という新しい学問分野も生まれました。朝永の絶筆となった『物理学とは何だろうか』の下巻第三章「熱の分子運動論完成の苦しみ」では、熱現象をめぐる一九世紀の物理学者の苦闘が、明解に、そして臨場感をもって語られています。この最後の章は「一九七八年一一月二二日、病室にて口述」された「二十世紀への入り口」の節で終わっています。

朝永が最後の章で語っていた一九世紀の熱力学の発達は、二〇世紀の量子力学の誕生につながります。実際、量子力学の端緒をつかんだのは熱力学の大家であったマックス・プランクでした。二〇世紀前夜の一九〇〇年のことです。

数学史の名著としては高木貞治の『近世数学史談』[*18]を挙げます。日本の近代数学の創設者とされる高木貞治が卒業した旧制岐阜県尋常中学校は、私の母校である岐阜高等学校の前身でした。そのため高校の図書館には高木貞治の胸像が飾られていました。県知事や国会議員なども輩出している高校にもかかわらず、自慢の卒業生として数学者の胸像が置かれていることを嬉しく思いました。

この本には、一九世紀の数学の歴史、特に楕円関数の理論をめぐるアーベルとヤコビの競争が生き生きと語られています。楕円関数は超弦理論の研究にもしばしば登場します。アーベルやヤコビが楕円関数を研究した背景を知ることで、この関数が身近に感じられるようになり、私の研究にも役に立ちました。

エリック・ベルの『数学をつくった人びと』[*19]も面白い読み物です。この本に触発されてその道に進んだという著名な数学者もいます。ただし著者がサービス精神を発揮しすぎたのか史実ではない作り話も含まれているので、文献としてはあまり信用しない方がいいでしょう。

物理学や数学の歴史を学んだことは、その後の研究にも役立ちました。しかし歴史から誤った教訓を引き出さないように注意する必要もあります。

これに関して、今から一〇年ほど前に読んだ本を一冊ご紹介したいと思います。歴史学者の加藤陽子が高校生を相手に行った講義の記録『それでも、日本人は「戦争」を選んだ』[*20]です。高校生への教育的配慮から、本題に入る前に「なぜ歴史を学ぶべきか」や「歴史の知識をどの

ように使うべきか」が議論されています。そこでは、
◇ロシア革命の時にボルシェビキがトロツキーでなくスターリンを指導者に選んでしまったのは、フランス革命がナポレオンという軍事的カリスマの登場で変質したという歴史に学んだから
◇山縣《やまがた》有朋が統帥権の独立を主張し軍部暴走の原因を作ったのは、西南戦争で文武両方の指導力を持つ西郷隆盛に苦しめられた経験から軍事と政治の指導者を分ける必要があると考えたから
◇米国がベトナム戦争から抜け出せなかったのは、第二次世界大戦でともに日本と戦った中国が戦後に共産化した喪失体験に縛られていたから
などが歴史の誤用の例として挙げられています。そして、過去の理解が偏っていると重要な判断をする時に誤った類推をしてしまうとして、歴史をより広く学びより深く考えることの大切さを語っています。

哲学と歴史はなぜ重要なのか

このように高校生の時には人文系の本としては哲学と歴史に関するものを多く読みました。哲学と歴史はいずれも自然科学と関係の深い学問です。

実験や観察に基づいて仮説を立て、仮説を検証することで確かな知識を積み上げていく科学(サイエンス)の手続きが確立し、広く使われるようになるのは近代以降のことです。それ以前には、自然の研究には自然哲学(ナチュラル・フィロソフィー)と自然史(ナチュラル・ヒストリー)という二つのアプローチがありました。

たとえばニュートンが力学の体系を発表した著作は『自然哲学の数学的諸原理』と呼ばれています。「哲学」という言葉が入っているのは、自然を観察するだけでなく、現象の原因や仕組み、その背後にある原理を探究するという意味があるからです。そのため、基本原理による統一的な理解を志向する物理学では、自然哲学という呼び名が一九世紀になってもしばしば使われていました。

後ほど登場する私の親友のカムラン・バッファさんは、ハーバード大学の「ホリス数学自然哲学教授」です。これは一七二七年に設立された自然科学では全米最古の教授職だそうです。職名に「数学自然哲学」とありますが、数学者や物理学者が歴任してきました。設立当時は物理学のことを自然哲学とも呼んでいた名残りです。

このように自然の統一的理解を目指す自然哲学に対し、自然史(ナチュラル・ヒストリー)は観察によって自然に関する知識を増やすことを目的としています。たとえば、「ナチュラル・ヒストリー・ミュージアム」と言うと、動物、植物、鉱物などの標本の展示に重きを置いた科学博物館を意味します。

ヒストリーは日本語では歴史と訳されるので、博物館をナチュラル・ヒストリー・ミュージアムと呼ぶのは奇妙な気がしませんか。実は、ヒストリーはストーリーと語源が同じで、いずれもギリシア語のἱστορία（イストリア）からきています。もともとは「物事の記録や記述」という広い意味でした。しかし一五世紀頃から「過去の出来事」に限定して使うようになりました。一方、「ヒ」が省略されて短縮形となったのがストーリーです。「自然の姿を記録し記述する学問」である自然史は古代ギリシアの時代からあったので、ヒストリーのもともとの意味に沿ってナチュラル・ヒストリーと呼ばれました。

このように、観察を通して自然の多様な姿についての知識を蓄えるのが自然史で、その多様な自然現象を統一的に説明する基本原理を探究するのが自然哲学なのです。

自然史の目指す多様性と自然哲学の目指す統一は、科学の進歩の二つの大きな方向にもなっています。たとえば、生物学は様々な生き物の固有な性質を研究するので自然史的な傾向の強い学問です。しかし、遺伝子情報がＤＮＡからタンパク質に伝えられる仕組みを説明する「分子生物学のセントラル・ドグマ」は細菌から人間にまで当てはまる基本原理です。一方、物理学は、基本原理に立ち返って考えるという研究手法のために自然哲学の統一への志向を受け継いだ学問です。しかし、様々な物質の性質を研究する物性物理学のように自然現象の多様性を大切にする分野もあります。

私が教鞭をとっているカリフォルニア工科大学には、かつて、二〇世紀後半の素粒子論を牽引した二人の偉大な理論物理学者がいました。百科事典のエピソードに登場したゲルマンと、後ほどご紹介するリチャード・ファインマンです。ゲルマンは、ブリタニカ百科事典の全巻を暗記したり、素粒子とその間に働く力の「分類」でノーベル物理学賞を受賞したりしたことからもわかるように、博覧強記で、自然界の多様性を大切にする人でした。本人も私にそう言っていました。一方、電磁気の理論と量子力学の統合を完成させた業績によってノーベル物理学賞を受賞したファインマンは、基本原理を志向する科学者でした。同じ研究室の隣同士にオフィスがあったのに、研究のスタイルは全く異なっていたのです。

哲学と歴史は知的探究における二つの重要なアプローチを代表するものだと思います。高校生の時にこの二つの方面でたくさんのよい本にめぐり合えたことは幸運でした。

ローマ皇帝から届いた言葉

高校時代には文学作品もたくさん読みました。そのひとつに丸谷才一の芥川賞受賞作『年の残り』[*21]があります。「かぞふれば年の残りもなかりけり、老いぬるばかりかなしきはなし」（傍線筆者）という和泉式部の和歌から始まる短編です。

この作品に登場する都会のプロフェッショナルの交わす知的で洗練された会話が、田舎の高校生には魅力的に感じられました。医師の上原は、紀元二世紀のローマ皇帝でストア派の哲人でもあったマルクス・アウレーリウスの『瞑想録』を愛読書にしていました。これは、英文学者の魚崎が、上原のことを「おまえはストイックだからな」とからかいながら推薦した本でした。「ストイック」という言葉はストア派の禁欲的な哲学に由来しています。

ローマ帝国に「黄金の世紀」をもたらした五賢帝時代の最後を飾るアウレーリウスの治世は、飢饉《ききん》や疫病、蛮族の侵入等の相次ぐ危機に見舞われ、帝国の終わりの始まりと呼ばれることもあります。そのため彼は落ち着いて好きな学問に取り組むことができません。それでも戦場から戦場へ向かう旅の合間に思いついたことを書き溜めていました。それが『瞑想録』です。

この小説の中で、丸谷はその『瞑想録』から次の一節を引用しています。

「昨日は一しずくの精液、明日はミイラか灰。それゆえこの地上における束の間を『自然』の意思のままに過ごして、やがて安らかに憩うがよい。ちょうど熟したオリーブの実が、自分を生んでくれた大地を祝福し、自分を実らせてくれた樹に感謝しながら、落ちてゆくのと同じように。」

これが印象的だったので、私もアウレーリウスの『自省録』[*22]を読んでみました。丸谷は『瞑想録』と書いていましたが同じ本です。岩波文庫版では精神科医でエッセイストとしても知られる神谷美恵子が原語であるギリシア語から翻訳しています。そこには次のような言葉が書き留められていました。

「人間を悩ます多くの問題は、世界をありのままに見ないことから生ずる。」

「自然の法則を受け入れ、自己の理性にしたがって、今この時を生きるべし。」

「宇宙が何であるかを知らぬ者は、自分がどこにいるかを知らない。」

科学の方法で世界を理解することを目指していたこともあって、こうした言葉が私には響きました。哲学史の本を読むと、アウレーリウスはストア派の忠実な学生で思想的に新しい貢献はなかったと書いてあります。しかし、度重なる危機に見舞われたローマ帝国を支え、それを守るための戦争に明け暮れた中で書かれた言葉には、説得力がありました。

また、幼少時に祖父を亡くした時から「死」のことが心を離れたことはなかったので、こんな言葉も目に留まりました。

「一つ一つの行動を一生の最後のもののごとく(行え。)」

これは、紀元前一世紀のラテン文学黄金期の詩人クィントゥス・ホラティウス・フラックスの「明日を信じず、今をつかめ」という有名な言葉にも通じます。

こんな自己啓発風の言葉もありました。

「もっともよい復讐の方法は自分まで同じような行為をしないことだ。」

よほど嫌な目にあったのでしょうか。

ローマ皇帝から二〇世紀後半の日本で暮らす高校生に何千年もの時を隔てて言葉が届くのだから、本とは素晴らしいものだと思いました。

受験参考書の名作たち

高校時代に出合った受験のための参考書の中にも、いくつか名作として記憶に残っているものがあります。

ひとつは、月刊誌『大学への数学』とその増刊号として刊行された『解法の探求』です。この雑誌は、東京出版創業者の黒木正憲が「受験情報の少ない地方の生徒のために」自ら編集や執筆を担当して創刊しました。「高校数学を総合的に眺めなおして、受験にも役立つが数学そのものへの興味も育てる」という志の高い雑誌です。フィールズ賞を受賞し国際数学連合の総裁も務めた偉大な数学者森重文も、高校生の時にこの雑誌が毎月出題する「学力コンテスト」や「宿題」の成績優秀者リストの常連だったそうで、「とことん考えることを教わりました。今でも考え抜かないと面白い数学はできません。『大学への数学』から教わった私の原点の一つです」（朝日新聞一九九六年九月九日夕刊）と語っています。

私のような田舎の高校生にレベルの高い数学に触れる機会を与えていただけたのは、ありがたいことでした。数学が「わかる」とはどういうことかが、この雑誌を読むことで身につきました。デカルトが、「明証的に真であると認めることなしには、いかなる事をも真であるとして受けとらぬこと」を、「理性を正しく導き、すべての科学において真理を探究するための方法」の筆頭に置いたのは、こういうことだったのかと実感しました。

「アルキメデスの原理の説明を自分で考える」の節でもお話ししたように、物事の理解の仕方はひとつではありません。なんとなくわかったような気になる説明もあれば、より本質に迫った説明もあります。本質に迫るには「わかった」と思える水準を高く設定すべきです。

米国では、夜道を歩いている時に拳銃をつきつけられて「この問題の解き方を教えろ」と言われて即答できるぐらいでなければ本当に理解したとは言えない、という物騒なたとえがあります。たとえば皆さんは、直角三角形についてのピタゴラスの定理について、中学校で習った証明を思い出せますか。拙著『数学の言葉で世界を見たら』*23の第六話では、この定理の「一回見たら一生忘れない」証明を解説しています。

高田瑞穂の『新釈現代文』*24も高校時代の私が楽しんで読んだ受験参考書でした。

現代文の入学試験問題では「筆者の言いたいことは次のアからエのうちどれか」といった設問がしばしば登場します。『新釈現代文』では、このような問題の解き方を説明するために、まず、「現代文とは、何らかの意味において、現代の必要に答えた表現のこと」と定義します。

そして、それを読み解くには著者の問題意識が何であるかを理解しなければならないというところから話を始めます。現代の必要に答えた表現である以上、問題意識の前提には「近代精神」がある。その近代精神を支えているのは、人間主義、合理主義、人格主義という三本の柱である。したがって、現代文を読む時は、この近代精神の三本の柱に基づく著者の問題意識を理解するように心がけると、著者がその文章で何が言いたいかが自ずとわかると説きます。

受験参考書ではありませんが、同じ時期に読んだフランス哲学者の澤潟久敬《おもだかひさゆき》の『「自分で考える」ということ』[*25]も近代精神の柱である合理主義の大切さをまっすぐに語っています。デカルトの『方法序説』[*12]についてもこの本で懇切に解説されていました。

高田にせよ澤潟にせよ、西洋の近代精神への屈託のない信頼が際立ちます。彼らのような二〇世紀半ばの知識人たちは、戦前の日本の合理思想の理解は浅薄かつ不徹底であり、それが日本の無謀な侵略と敗戦につながったと反省し、あらためて近代精神を本格的に学び直さなければいけないと決意したのでしょう。ポストモダン哲学を経た二一世紀の現在から見ると、可憐なほど純真な姿勢に感じられます。しかし、そのような近代精神に対する素直で真摯な姿勢が、戦後日本の繁栄の基礎になったのだと思います。

医学部でなく理学部、東大でなく京大

高校時代に読んだ本を紹介してきました。しかし孤独に読書ばかりしていたわけではありません。先生や友人にも恵まれた高校生活でした。そのうちのひとりと、卒業から三〇年近く経ってから意外な再会をしました。

二〇〇八年度のノーベル物理学賞は南部陽一郎、益川敏英、小林誠の三名が受賞しました。また、化学賞の受賞者のひとりも日本人の下村脩《おさむ》でした。そこで、岩波書店の雑誌『科学』では二〇〇九年新年号に「ノーベル賞と学問の系譜——日本の科学と教育」と題した大きな特集を組むことになり、私に物理学賞の意義についての解説記事が依頼されました。このような記事を書かせていただくことを光栄に思い、「素粒子物理学の五十年」という野心的なタイトルをつけて寄稿しました。

年が明けてカリフォルニアに届いた特集号を見てみると、化学賞の解説記事も同じような意気込みで書かれたのか「光の革命への半世紀」というタイトルで、筆者は宮脇敦史とありました。おやっ、と思って読んでみると、高校で同期の宮脇さんでした。同じ特集号で各々の分野のノーベル賞の解説記事を書いていたというのは嬉しい偶然でした。

宮脇さんは、岐阜高校卒業後に慶應義塾大学の医学部に進み、二〇〇八年度のノーベル化学賞の授賞対象となった「緑色蛍光タンパク質」の研究を発展させ、体内で起きる様々な生命現

象を蛍光物質を使って可視化できる技術を開発しています。現在は理化学研究所（理研）の脳科学総合研究センターの副センター長を務め、二〇一七年にはこの分野の発見に対して紫綬褒章を受章しています。二〇一二年に理研の研究者会議総会での講演に呼ばれた時に、研究センターを案内してもらい、互いに久闊《きゅうかつ》を叙することができました。

高校時代の話に戻りましょう。宮脇さんのように医学部を目指す友人がたくさんいる中で、私は理学部に進みたいと考えていました。

そもそも私の両親は柳ヶ瀬で商店を経営していたので、それを継がないのかという話もありました。これについては私が全く興味を示さなかったので、両親も早い時期からあきらめていたようです。しかし、大学に行ってからも、夏休みに帰省してお店を手伝っている時に、父がお客さんに「息子は役に立たない勉強に興味を持ってしまって」と自嘲とも自慢ともつかない様子で話しているのを聞き、少し残念だったのかなとも思いました。

私が子供の頃は岐阜に大きな繊維産業があり柳ヶ瀬もとても繁盛していました。美川憲一の『柳ヶ瀬ブルース』がヒットしたのもその頃です。しかし沖縄返還交渉と同時に行われた日米繊維交渉により日本繊維産業連盟が対米輸出を自主規制したことで翳りが見えてきました。郊外に大型ショッピングモールが建ち始めるとシャッターを閉めた店舗が目立つようになり、私の両親も一五年ほど前にお店をたたみました。

大学受験が近づいていたある日、母方の叔父が私を訪ねて来たことがあります。何かと思ったら進路の話でした。

「博司君は理学部を受験するらしいけど、医学部じゃなくて本当によいのか。」

今も昔も医学部は受験生の人気の高い学部です。当時も理系の成績のよい高校生は医学部を受けるのが当たり前という風潮がありました。親にしてみれば、理学部より医学部の方が将来が安泰そうなので、叔父に真意を確認させたのでしょう。しかし基礎科学の研究がしたいという気持ちを説明すると叔父もそれを理解してくれました。おかげで親にも反対されずに京大の理学部を受験できました。

「なぜ東大ではなく京大だったのですか」と聞かれることがあります。これには明確な理由がありました。

東大は理科一類に合格しても必ずしも理学部に進めるとは限りません。合格すると、まずは駒場キャンパスで一般教養の授業を受け、一年生と二年生の途中までの成績によって三年生からの学部が決まります。これが東大に特有の「進学振分け」という制度です。駒場での成績がふるわないと希望する学部には進めないのです。

しかも、私が行きたい理学部の物理学専攻は当時かなりの狭き門だと聞いていました。東大に合格するだけでも大変なのに、物理学を専門に勉強しようと思ったら大学入学後にも進学振分けのための勉強が待っています。「大学に入ったら好きなことだけを思い切り勉強したい」と思っていたので、大学に入学してからまた他人と競争するための勉強をするのは気が進みませんでした。

その点、京大は学部ごとに入試をしますから、合格すれば最初から理学部の所属になります。また卒業まで専攻を決める必要もありませんでした。卒業証書にも「理学部卒業」とだけ書かれており、希望した場合にだけ「主として物理学を修めた」などと書いてもらえます。卒業に必要な単位さえ取得すれば何を勉強してもいいのです。京大は東大と違って「自由な学風」が特徴だと言われます。その中でも理学部は特に自由かもしれません。学生を「放牧」して好きなことをやらせる雰囲気があるので伸び伸びとやりたい勉強ができそうです。それが決め手となって京大理学部を受験し、無事に入学することができました。

物理学とはそもそもどんな学問か

大学に入学して、いよいよ本格的に物理学の勉強をするところに差し掛かったので、この機会に「そもそも物理学とはどのような学問であるか」をご説明します。物理学は、自然界の基本法則を発見し、それを使ってこの世界の様々な現象を説明する学問です。説明する現象はどのようなものであってもかまいません。

高校生の時に物理を選択された方は、物理学というのは滑車が斜面を下っていくような「物体の運動」を研究するものだという印象を持たれているかもしれません。確かに近代の物理学は一七世紀のガリレオ・ガリレイやアイザック・ニュートンによる運動の研究から始まりました。しかし物理学の研究対象は物体の運動に限ったものではありません。

皆さんが毎日お使いになっている家電機器の基礎である「電気と磁気」や、冷暖房の効率を考えたり自動車のエンジンを設計したりする時に必要になる「熱現象」の理解は物理学の問題です。

太陽がどのような仕組みで燃えているのか、夜空の星はどうして光っているのか、そもそも宇宙はどのようにして始まってどのようにして今日の姿にまで進化してきたかは「宇宙物理学」で研究されています。物質の成り立ちを考え、私たちの生活を改善する新物質の開発に役立つ「物性物理学」という分野もあり、さらにミクロな世界に目を向ければ「原子物理学」、「原子核物理学」、そして私の専門である「素粒子物理学」があります。最近は、「生物物理学」や「経済物理学」なども大きく進歩しています。およそ森羅万象のどのような現象についても、その現象の名前「××」を冠して「××物理学」というものを考えることができるのです。

自然科学の中には生物学、化学、天文学など様々な分野があります。物理学をそれらと区別するのは「基本原理に立ち返って考える」という研究の方法です。

「物理学」という言葉が使われるようになったのは明治政府の学制公布以降のことで、江戸時代の蘭学者たちはオランダ語の「フィジカ」を「窮理学」と訳していたそうです。この訳語は、自然界の現象の背後にある原理を窮めることで現象を理解するという物理学の目標をうまく捉えていました。

生物学が生命現象を、化学が物質の構造や反応を、天文学が天体を研究対象とする「対象の学問」なのに対し、物理学は研究の方法に特徴がある「方法の学問」なのです。

物理学が進歩すると分業化が起きて、二〇世紀後半には実験と理論を別の研究者が行うようになりました。たとえばノーベル物理学賞を受賞した湯川秀樹や朝永振一郎は理論物理学者、小柴昌俊や梶田隆章は実験物理学者です。

人生でいちばんよく勉強した四年間

大学に入って嬉しかったのは同好の士がたくさんいることでした。高校の理系の友人は大半が医学部志望でしたので、基礎科学について語り合える知り合いはあまりいませんでした。京大の理学部に入ると当然ながら科学に興味のある人たちばかりが集まっていました。

特に関西の進学校から来た同級生たちは理学部の大学生が読むべき本のことをよく知ってい

ました。それまで行き当たりばったりに本を読んでいた私にとっては、彼らの適切な「読書ガイド」がとてもありがたかったです。

大学の最初の二年間は一般教養の勉強をすることになっていました。しかし残念ながら多くの講義は期待はずれでした。これは先生方の問題というよりも、当時の教養部の制度的な問題だったと思います。

しかし、講義は期待はずれでも、自分で勝手に好きな勉強ができるのが大学のよいところです。むしろそれをしなければせっかく大学に入った意味がないとも言えます。高校までは指導要領に沿って先生が教えるとおりに勉強することが期待されています。しかし大学では、まず何を勉強するかから自分で選ばなければなりません。しかも、受験勉強とは異なり、大学で取り組む問題には正解があるとは限りません。これまで誰も通ったことのない道を切り開くために、自分で考える力をつけるのが大学教育の目的のひとつです。

知識を教えるだけでなく、新たな知識を発見するのに必要な技術を身につけた主体的な人材を育成するという大学のあり方は、一九世紀ドイツのウィルヘルム・フォン・フンボルトらが構想したもので「フンボルト理念」と呼ばれています。講義だけでなくゼミナールや実験をカリキュラムに組み込み学生に研究を経験させるという、現在日本の大学で普通に行われている教育システムができたのもその時でした。

私が学生の時には、大学の正式なカリキュラムとしてのゼミナールだけでなく、学生たちが勝手に開く「自主ゼミ」も盛んでした。これは講義がなかなか成立しなかった大学紛争の時代に学生たちが始めた勉強会や読書会の名残でした。

京大の理学部は専攻の垣根がないので、数学、物理、天文、化学、生物など、いろいろな分野に関心のある学生と付き合えます。私は主に数学と物理学を目指す学生たちが集まる喫茶店に毎日のように通いました。ご主人がおいしい食事を作ってくださるので、自主ゼミの後にそこで夕食をいただくのも楽しみでした(図7)。

[図7] 自主ゼミの後の夕食会（右から二人目が私）

このような環境のおかげで、学部生の四年間はこれまでの人生の中でいちばんよく勉強した時代でした。

フロベニウスの定理と立ち食い蕎麦

自主ゼミでは分担を決めて調べたことをお互いに講義します。関西の進学校から来た友人の中にはそこで取り上げた本を中高校生の時に読んだという人もいて、岐阜から出てきた私は「さすがに都会の子は違う」と感心したものです。

数学ではたとえば高校の大先輩高木貞治の『解析概論』[*26]を読みました。一九三八年の初版以来日本の数学の教科書の手本となってきた微積分の古典的名著です。アンドレイ・コルモゴロフとセルゲイ・フォミーンの『函数解析の基礎』[*27]からは、無限大の概念を扱うための厳密な論証の方法を学びました。また、浅野啓三と永尾汎の『群論』[*28]のゼミでは、本を片手に説明していると、先輩から「発表の時には、本に書かれた証明や解説を自分で確認して、それをまとめたノートだけを見て説明しなさい」という指導を受けました。

これらの数学書の中でも特に熱心に勉強した思い出があるのは松島与三の『多様体入門』[*29]です。多様体とは幾何学的な図形の概念を一般化したもので、アインシュタインの一般相対性理論で重力を時空間の曲がりとして理解する時にも重要な役割をします。超弦理論に現れる九次元空間のように目で見ることができないものでも、多様体の考え方を使うと数学の言葉で表現できるようになります。

大学二年生の冬、岐阜に帰省する列車の中でこの本を読んでいて、「フロベニウスの定理」の証明がどうにも納得できませんでした。

当時は、旅費を節約するために、新幹線ではなく東海道本線の快速を乗り継いで帰省していました。何時間もかかりますが、集中して勉強するにはよい環境です。途中、乗り換えのために米原駅のホームに降りて立ち食い蕎麦を注文しながら、まだフロベニウスの定理について考えていました。米原は日本有数の豪雪地帯です。その時も、降りしきる雪が伊吹山から吹き下ろす風に乗って方向を変えながら舞っていました。

フロベニウスの定理は、空間の中で様々な方向に流れがある時に、それらの流れが部分空間を織り成すための条件を定めます。風に吹かれた雪が様々な方向に流れていく風景を見ている時に、突然、定理の証明の全体像が理解できました。目の前にかかっていた霧が晴れたような気分で茹で上がった蕎麦をいただきました。今でも大学で多様体の講義をしていてフロベニウスの定理に差し掛かると、その時の寒さと蕎麦の温かい香りを思い出します。

英語の本にも慣れる必要があるということで、ハーバート・ゴールドスタインの『古典力学』[*30]やレオナルド・シッフの『量子力学』[*31]の原書を苦労しながら読みました。

また物理学は幅広く学ぶべきだと思い、今井功の『流体力学（前編）』[*32]を読みました。流体力学は空気や水の流れなどを研究する分野で、飛行機やロケットなどの設計にも応用されます。素粒子論とは直接関係のある分野ではありません。しかし物理学は「方法の学問」なので、流体力学の方法は物理学の他の分野でも使えます。また、流体現象についてのイメージを得たことも、後に行う研究の様々な場面で役に立ちました。

さらに「物理学者や数学者は存在とは何かを知らないといけない」と言い出す友人もいまし

た。そこで「存在を問うのならハイデガーを読もう」という話になりました。ハイデガーの『存在と時間』を理学部の学生だけで読むのはハードルが高そうだったので、ハイデガー研究者たちがその内容を要約して解説している『ハイデガー「存在と時間」入門』[*33]を読むことになりました。ところが入門書でも十分に難解で、半年ぐらいかけて半分読んだところで挫折しました。読んだところも正しく理解できたかどうか全く自信がありません。

ファインマンに学んだ自由に発想するということ

自主ゼミだけでなく、ひとりで勉強した本もたくさんあります。

たとえば『ファインマン物理学』[*34]全三巻(日本語版は全五巻)です。朝永振一郎とジュリアン・シュビンガーとともに、量子力学と電磁気学の統合への貢献に対してノーベル物理学賞を受賞したファインマンは、回想録『ご冗談でしょう、ファインマンさん』[*35]の破天荒なエピソードによって一般の人たちの間でもよく知られるようになりました。

カリフォルニア工科大学教授のファインマンは、ある時「学部初年度の物理学をすべて自分が教える」と言い出しました。理工系の大学なので、初年度の学生は全員、力学、電磁気学、統計力学などの物理学を一年間かけてひととおり勉強します。ふつうはそれを何人もの教員で分担します。それを大御所のファインマン先生が一手に引き受けるというのですから、こんなにありがたいことはありません。

貴重な機会なので、一九六一年から二年間行われた講義はすべて録画され、黒板も消される前に写真撮影して保存されました。その伝説的な講義の記録を、同大学の二人の教授が編集して出版したのが『ファインマン物理学』です。

数年前にファインマンの講義五〇周年を記念するお祝いのイベントがありました。しかし、受講していた卒業生とお話をすると「いや、ひどい目に遭いましたね」と苦笑されている方もいらっしゃいました。初年度の学生には難しい話題も取り上げられているので、その気持ちもわからなくはありません。

歯ごたえはありますが、この本からは、ファインマンが持っていた自然現象への愛やそれを解明することの喜びがひしひしと伝わってきます。この本から学んだことのひとつは、物理学を理解するための道はひとつではないということです。様々な考え方でアプローチすることで、自然現象に対する理解は深まります。まじめに勉強するほど「この現象はこのようにして理解しなければいけない」という狭い考えに閉じこもりがちになります。そんな時にファインマンの自由な発想に触れて目を開かされました。

ファインマンの講義では対象の選択も自由です。ミツバチの目の仕組みや化学物質の性質など、ふつうの物理の教科書では扱わない幅広い自然現象を取り上げて、それを初等物理学のツールで説明するのです。ファインマンが自然のあらゆる側面を説明する様子に、物理学の普遍性を印象づけられました。

『理論物理学教程』の研ぎ澄まされた美しさ

ファインマン物理学よりもさらに強い影響を受けたのは、『ランダウ＝リフシッツ理論物理学教程』[*36]全一〇巻（日本語版は全一七巻）でした。

二〇世紀半ばのソビエト連邦では科学の研究が重視され、国策として大きな投資がされていました。そのため様々な分野に偉大な科学者がいました。その中でも、レフ・ランダウは長年にわたって理論物理学のリーダーでした。彼の研究グループ「ランダウ・スクール」に所属することを希望する学生は、「理論ミニマム」という試験に合格しなければなりませんでした。文字どおり最低限の知識を問う試験です。ランダウは理論物理学者になるためには何でも知っていなければならないという考えだったので、物理学のあらゆる分野を網羅した内容でした。ランダウが理論物理学研究所を設立してから、交通事故に遭って研究者人生を終える二八年の間に、合格したのがたった四三名という狭き門でした。

『ランダウ＝リフシッツ理論物理学教程』は、「理論ミニマム」に必要な物理学のすべての分野の知識を、ランダウと弟子のエフゲニー・リフシッツが一〇巻にまとめたものです。一九六

○年にはソビエト連邦の国家最高賞のひとつであるレーニン賞を受賞しています。
　この教程の中でも白眉と言われる第二巻『場の古典論』は、電磁気学と一般相対性理論の教科書です。私はこの巻を友人たちとの自主ゼミで読み、残りの巻は自分で勉強しました。通常は別々に教えられる電磁気学と一般相対性理論を『場の古典論』という一冊の本にまとめたところにも、物理学の発展の歴史にとらわれず、理論構造を最も簡明かつ明解に解説できるよう再構成していった『理論物理学教程』の独創性の一端がうかがえます。

　科学は「思考の経済」であると言われます。できるだけ多くの現象を、できるだけ少ない仮定で説明できるのがよい科学であるという意味です。通信技術において大量の情報を最小限のコストで送るための「データ圧縮率」が問題になるように、科学とは様々な自然現象に関するデータを法則というかたちに圧縮する作業だと言うこともできます。ランダウ＝リフシッツの教程は思考の経済を極限まで追求したものです。効率の高い工業製品に機能美があるように、『理論物理学教程』の研ぎ澄まされた解説にも独特の美しさがあります。

　あらゆる問題を基本原理から導出することに徹底しているのも、この教程の大きな特徴です。「物理学とはそもそもどんな学問か」の節でご説明したように物理学は、基本原理に立ち返って考えるという方法によって、自然科学の他の分野と区別されます。化学や生物学が「対象の学問」であるのに対し、物理学は「方法の学問」なのです。そのため、何かがわかった瞬間には霧が晴れたようにすべてが明瞭に見渡せる。それが物理学を勉強する魅力のひとつです。この教程では、この物理学の方法が極限まで追求されています。第一巻『力学』の冒頭から「そう来るのか」とガツンとやられたような思いがしたものです。

中学生の時に先生が出題するパズルを毎週解くことで数学が上達した経験があったので、大学の物理学でも学んだことを身につけるために問題をたくさん解く必要を感じました。幸い『理論物理学教程』にはよく練られた問題が掲載されていました。また、本文中では計算による導出がしばしば省略されていたので、それをきちんと埋めていくことも勉強になりました。

教科書でなく原論文を読む意義

量子力学と並ぶ現代物理学の柱である一般相対性理論は、自主ゼミで読んだ『理論物理学教程』の『場の古典論』のほかに、アインシュタインの原論文でも勉強しました。一九一六年に発表された「一般相対性理論の基礎」で、『アインシュタイン選集』[*37]に再録されています。この論文は一世紀以上を経た今でもそのまま教科書として使えるほどよく書けています。

原論文を読むことはよい勉強になります。すでに学界に受け入れられた理論の教科書が学界の常識を前提として書かれているのに対して、原論文では自らのアイデアを初めて読む人にもわかるように説明しなければならないからです。アインシュタインの一般相対性理論の論文は、重力を時空間の曲がりで説明するという画期的な考えを発表したもので、そこに使われた数学も当時の物理学者にはなじみのないものでした。そのためアインシュタインは、相対性の考え方を念入りに説明し、必要な数学に関しても懇切に解説しています。

また、原論文を読むと、教科書では見逃されている深い洞察に気づくことも少なくありません。これは哲学書を原著もしくはその翻訳をそのまま読む意義と同じです。たとえばプラトンについても、入門書だけではなく、『饗宴』のような著作を首をひねりながら読むことで学ぶこともあります。私たちはハイデガーの哲学を理解しようと入門書を読んで挫折しました。どうせ挫折するなら本人の『存在と時間』を読んだ方がよかったかもしれません。

教養の基礎としてのリベラルアーツ

哲学といえば『哲学教程――リセの哲学』*38も思い出します。リセはフランスの中等教育機関で日本の高校に相当します。この本はリセの理系コースの生徒のために作られた哲学の教科書です。そのためか理系の私にも納得しやすい論理で書かれていました。

この教科書の第二章は、哲学は「知」ではないという主張から始まります。そして現代では知識の機能は科学が果たしていると書かれています。理系向けの本とはいえ「そこまで言い切るのか」と少し驚きました。では哲学とは何かといえば、知を学ぶのではなく、知そのものを批判的に思索する学問であると定義されていました。たとえばカントは哲学の課題全体を次の三つの問いに要約しました。

◇私たちは何を知ることができるか
◇私たちは何をなすべきか
◇私たちは何を望みうるか

最初の問いは、私も高校生の時に読んだ『純粋理性批判』[*13]で議論されています。二番目の問いは『実践理性批判』、三番目の問いは『判断力批判』の主題です。

このように科学の役割と哲学の役割を明確に区別しているので、「空間」や「時間」についての考察においても、科学的にも意味のある議論をしつつ、それを哲学でどのように考えるかについてもしっかり書かれています。この教科書を読むことは科学と哲学の関係について考えるよい機会になりました。

この教科書からは、現代の国家に必要な自分の頭で考え判断できる責任のある市民を育てようというフランス社会の意思がひしひしと伝わってきました。それは、リセの教育が古代ギリシア・ローマからのリベラルアーツの伝統を引き継いでいるからだと思います。

民主主義の誕生した古代ギリシアでリベラルアーツの伝統が始まったのは、偶然ではないと思います。民主主義が健全に機能するためには、真実を貴び、自ら判断できる市民が欠かせません。このため欧米の教育では今もこのリベラルアーツが教養の基礎と考えられているのです。『哲学教程』は、その伝統にのっとり、しかも現代の様々な問題を捉え直す本だったので、思考のトレーニングになりました。

文章の書き方は本多勝一に学んだ

リベラルアーツ七科目の中でも、説得力のある言葉で語るために必要な文法や修辞などの作文術は理系の人が苦手とする分野かもしれません。しかし、本書第三部の「言葉の力を徹底的に鍛える米国の教育」でお話しするように、言葉の技術は理系にとっても重要です。

文章技術を学んだ本としては、本多勝一の『日本語の作文技術』[*39]を筆頭に挙げます。理系の文章読本では、清水幾太郎の『論文の書き方』[*40]や木下是雄の『理科系の作文技術』[*41]が定番とされているので、私も読んでみました。しかし本多の本の方が実際には役に立ちました。

たとえば、清水幾太郎の「あるがままに書くことはやめよう」という主張は、文章読本の元祖とも言える谷崎潤一郎の『文章讀本』[*42]へのアンチテーゼとして、出版された当時には画期的な視点だったと聞いています。しかし私が読んだ頃にはもはや当たり前のこととなっていて、「今さら言われなくても」と思いました。

本多の本では「修飾の順序」、「句読点の使い方」、「助詞の使い分け」、「どこで段落を切るべきか」などの基本技術が端的に説明されています。また、文章のスタイルについて書かれた後半では様々な文章が批判的に論評されており、そちらも参考になりました。

英語の文章については *The Elements of Style*（文体原論）[*43] が座右の書です。そこには、英語表現の原則が「能動態で書け」、「肯定文で書け」、「明確で具体的な表現を使え」、「責任逃れの文を書くな」などと厳しい調子で明快に示されています。責任逃れの文とは、日本語なら「……ではないでしょうか」といった曖昧な形で終わる文です。断定をしない表現には責任を負う覚悟がありません。

これと似た心得として、小説家マーク・トウェインの「形容詞を見たら殺せ」や小説家スティーブン・キングの「地獄への道には副詞が敷き詰められている」という過激な言葉もあります。「美しい絵」とか「おいしい食事」などと形容詞に頼った描写は安易です。「とても」とか「実に」という副詞は無駄に使われることが多い。説得力のある伝え方をしたければ簡明に具体的に表現する方法を考えよと、トウェインやキングは言っているのです。

人とのコミュニケーションで重要なのは自分の言葉に責任を持つということです。後ほど登場する理論物理学者のフリーマン・ダイソンも「曖昧なことを言うぐらいなら、間違ったことを言う方がましだ」と言っています。

人前で話す時もボソボソと聞き取りにくい声では説得力がありません。私はよく家族から

「声が大きい」と言われます。そのたびに「自分の言葉に責任を持つためには、はっきり発声しなければいけないのだ」と言い訳して呆れられています。

ただし、いつでも大声を出せばいいというものではありません。先日も、東大の柏キャンパスにあるカブリ数物連携宇宙研究機構から都内に向かう通勤電車の中で外国人研究者と物理の議論をしていたら、隣の乗客に「もう少し静かに話してください」と注意されてしまいました。

英国運営の英会話教室で学んだこと

私は学部の最後の年に半年だけ英会話学校に通いました。それには理由がありました。量子力学の世界では私たちの直感に反する現象が起き、その解釈に関してはまだ解決していない問題がいくつかあります。これらは総称して「量子力学の基礎問題」と呼ばれています。最近は量子コンピュータの技術の進歩によってホットな話題となりましたが、私が学生の頃には年を取って最先端の研究ができなくなった先生がやるものだと言われていました。しかし私はどういうわけか学部生の時に興味を持って勉強していました。

私が四年生の時に、量子力学の基礎問題に登場する「ベルの不等式」の実験に成功したフランスのアラン・アスペさんが京都に講演にいらっしゃいました。めったにない機会なので、この不等式に関する文献を読んでから講演を聞きに行きました。

ベルの不等式は二つの量子の間の「もつれ」と呼ばれる関係を特徴づけるものです。私は講演を聞いているうちに、三つ以上の量子についても同じようなもつれの状態がありそれに関する不等式があるのではないかと思いつきました。そこで講演の終わりに手を挙げて質問しました。しかし英会話に慣れていなかったのでうまく伝えられませんでした。

これはいけない。せっかくいいことを思いついても英語で表現できないと意味がないと思い、大学の隣にあったブリティッシュ・カウンシル（英国文化振興会）の英会話教室に通いました。ブリティッシュ・カウンシルは、第二次世界大戦前のファシズムが台頭しつつある時代に国際的な影響力の衰えを自覚した英国が、英語や英国文化の普及を目的として設立した国際文化交流機関です。

そこで学んだことはいくつかあります。ひとつは、相手が自分の言葉をどのように受け止めるかをよく考えて説得力のある表現をする技術です。英会話の礼儀作法についても学びました。英語には敬語があります。しかし、だからと言って誰にでもフランクに話をするのがよいわけではありません。日本語と同じ仕組みの敬語はなくても、別の方法で相手に敬意を払うことはできます。お互いの関係に応じた適切な表現をすることの大切さは日本語でも英語でも変わりません。

前置詞の使い方などの英語の技術も磨きました。英語の前置詞は日本語の助詞と同じように大切で、うまく使うとわかりやすい英語になります。

英会話の技術とスタイルの両面で影響を受けた教室でした。

日本と英国はどちらも島国です。しかしコミュニケーションの技術では二つの国民は大きく異なります。大陸ヨーロッパとの一〇〇〇年以上にわたる外交の歴史で鍛えられた交渉力と、全世界に広がった植民地を経営した経験からくる異文化への対応の経験――それは負の歴史でもありますが――を持つ老練な国が、自国の言語や文化の振興や広報のために運営している会話教室で学んだことは、その後の海外生活でとても役に立ちました。

ところで、私がアスペさんの講演の最後に質問しようとした三つ以上の量子がもつれた状態に関しては、後に他の研究者が論文として発表し、今では彼らの頭文字からとった名前でよく知られています。アスペさんにはうまく説明できなくても研究しておけばよかったのかもしれません。しかし、南部陽一郎さんから「取り逃した仕事がいくつかあるくらいでなければ駄目だ」と言われたことがあるので、そのひとつに数えることにしています。

コラム　英語力向上には何が必要？

日本の英語教育は間違っているという声を聞きます。どこの国と比べての話なのでしょうか。ヨーロッパの人々は様々な言葉に日常的に触れる機会がありますし、ほとんどの国では英語と同じインド－ヨーロッパ語族の言語が使われているので、英語が上手なのは当たり前です。米国で子供を育てた経験では、米国の外国語教育が特に優れているとも思えません。中国や韓国出身者に英会話が上手な人を多く見かけるのは、高校や大学から米国で学ばせる親が多いのも理由のひとつだと思います。

私が英語を学んだのは、大学学部四年生の半年間ブリティッシュ・カウンシルの英会話教室に通った以外は、中学校と高校の授業だけでした。それで米国の大学教授が務まっているのですから、日本の英語教育もそれほど悪いものではなかったと思います。

私が大学四年生の時にアスペさんにうまく質問できなかったのも、中学高校の英語教育が間違っていたからだとは言えません。英会話は経験を積まないといけないので、学校の授業だけで役に立つ英会話力をつけるのは難しいと思います。最近はインターネットで英語に触れることができるので耳を慣らす機会もたくさんあります。たとえばＢＢＣ（英国放送協会）やＮＰＲ（全米公共放送）のニュース番組を聴くのもよいと思います。耳が慣れてくると、それが自然に口から出てきます。

二六歳で初めて米国に渡り高等研究所の所員になった時、英語で困ったのはお昼ごはんの時間でした。黒板の前で一対一で議論をする時には、相手も私の顔を見て理解度を測りながら話してくれます。物理学や数学の話なら、どうしても伝わらない時には黒板に式を書けばよい。しかし、お昼ごはんの席では数人のグループで話をしているので、私ひとりに向かって話してくれるわけではありません。遅れて着席して何の話で盛り上がっているのかさっぱりわからなかったこともあります。それでも半年ぐらいで耳が慣れてくると何とかなります。話が追えない時には「ごめんなさい、何の話ですか」と聞けばよいのです。

私はカリフォルニアで教鞭をとるようになって二五年以上になり、授業は日本語なまりの英語で行っています。しかし学期末の授業評価アンケートで「英語が下手だ」と書かれたことは一度もありません。授業の内容や試験の難易度などについては遠慮なく批判が書いてあるので、私の英語が聞き取りにくかったらそう指摘するはずです。米国の大学教員は外国人が多いので、学生たちもなまりのある英語に慣れているのかもしれません。

英語で勉強が足りないと思ったのは、英会話よりも読み書きの能力です。本書第三部の

「言葉の力を徹底的に鍛える米国の教育」に詳しく書くように、大学の運営に関わるようになってから同僚の作文能力に感心したことが何度もありました。長い歴史の中で多様な文化と交流をしてきた欧米の教育では、言葉の力を発揮するあらゆる方法が教え込まれます。米国で育った私の娘も、小学校低学年から実践的な作文技術を学び、様々な場面での文章を書かされていました。

米国の同僚のコミュニケーション能力を見ていると、日本人の英語力不足は英語教育よりも国語教育の問題だと感じます。表現したいことが頭の中にまとまっていないと、筆も動かないし口からも出てこない。小学校から英会話を教えるのはもちろんよいことです。しかし、日本人の英語力向上のためには、国語と英語教育を組み合わせた言語教育を総合的に考える必要があると思います。

3 物理学者たちの栄光と苦悩

学生時代には、教科書で物理学の理論を勉強するだけでなく、物理学者が自らの生き方や考え方について語った本も読みました。ここからは私が影響を受けた物理学者たちの自伝や随筆などを紹介していきましょう。

量子力学完成の瞬間——ハイゼンベルク『部分と全体』

まずは量子力学の創設者であるドイツの物理学者ウェルナー・ハイゼンベルクの自伝『部分と全体』[*44]を挙げます。物理学に興味のある人には必読の書です。

ハイゼンベルクが科学や哲学に関して友人や同僚と交わした多くの会話が記されており、それが魅力のひとつとなっています。ただし湯川秀樹が邦訳のために寄せた序文には、

「まだ高校生のハイゼンベルクおよび彼と同年輩の若者たちの間でかわされた、やり取りとしては、あまりに高級だという感じがする。」

「これは半世紀を彼の脳裏に生き続けた記憶の意識的、無意識的再構成だと思えばおかしくないかもしれない。」

などとあり、湯川はハイゼンベルクが話を膨らませたと疑っているようです。

　そうした会話の多くは、「バンダールング」の間に交わされています。バンダールングとは何日もかけて山を歩き回る長いハイキングのようなものです。ドイツ人たちは自然の中で長い散歩をしながら語り合うことが好きです。それは様々な場所をめぐりながら経験を積んでいくというロマン主義の伝統を受け継いでいるのだろうと思います。

　ハイゼンベルクはミュンヘン大学でアーノルド・ゾンマーフェルトから原子論を学びました。ゾンマーフェルトについてハイゼンベルクはこう書いています。

「軍人のような気品のある黒っぽいひげをはやした小さなずんぐりしたこの人物は、一見きびしい印象を与えた。しかし話しはじめてみると、すぐに私は彼の率直な善意と、ここに指導と助言を求めてやってきた若者に対する好意をよみとることができた。」

　実はハイゼンベルクは、ゾンマーフェルトに紹介される前に、円周率が超越数であることを証明した数学者のフェルディナンド・フォン・リンデマンに指導を受けようとしました。ところがハイゼンベルクが一般相対性理論に興味があると言うと、リンデマンは「それではあなたは数学をやってもどうせだめでしょう」と追い返してしまいます。よほど悔しかったようでゾンマーフェルトの学生だったボルフガング・パウリにそのことを話すと、パウリは「それはまさに僕の予期したとおりだ。リンデマンは数学的厳密性の狂信者だ」と応じます。そんな経験があったので、ゾンマーフェルトがことさらよい人に見えたのかもしれません。

ハイゼンベルクがリンデマンに追い返されたことは物理学にとって幸運なことでした。ニールス・ボーアがゲッチンゲン大学で連続講義する時に、彼はゾンマーフェルトに連れられて聞きに行きます。デンマーク人のボーアは原子論のリーダーでした。

「ボーアは静かに、やわらかいデンマーク式のアクセントで話した。そして彼の理論の一つ一つの過程を説明する時には、われわれがふだんゾンマーフェルトによって慣らされているものより遥かに注意深く、彼は慎重に言葉をつないだ。用心深く表現されたどの一言一言の背後にも、長い思索の跡が見えるようであった。いま、その長い思索の一端だけが述べられており、その奥には私にとって非常に刺激的な哲学的姿勢が薄明の中に姿を消していた。」

まさに運命的な出会いでした。質問に行ってボーアから散歩に誘われたハイゼンベルクは「私の学問的生長はこの散歩を機会に、ようやく始まったのだ」と書いています。

ボーアは会話や議論によって研究を進めていく独特のスタイルで有名でした。コペンハーゲンのニールス・ボーア研究所では自由闊達な討論が奨励されていました。そういう手法は当時では珍しく、「コペンハーゲン精神」と呼ばれていました。ハイゼンベルクはボーアとの散歩やバンダールングの間に交わした会話を詳しく記しています。二人のやりとりは物理学者を目指す私にとってとても魅力的なものに見えました。

ボーアの下で修業を積んだハイゼンベルクは、一九二四年にゲッチンゲン大学の教職を得ます。その翌年の夏、花粉症だった彼は北海に浮かぶ島で療養生活を送りました。そこである晩ひらめきを得て量子力学を完成させます。その場面がこの自伝のハイライトです。感動的な記述を引用しておきます。

「最初の瞬間には私は心底から驚愕した。私は原子現象の表面を突き抜けて、その背後に深く横たわる独特の内部的な美しさを持った土台を覗き見たような気がした。そして自然が私の前に展開してみせたおびただしい数学的構造のこの富を、今や私は追わなければならないと考えたとき、私はほとんどめまいを感じたほどだった。」

「家を後にして、明るくなりだした夜明けの中を台地の南の突端へと歩いて行った。そこには、海の方へ張り出して超然とつっ立っている岩の塔があった。……私は大して苦労することもなくその塔によじ登ることに成功し、その突端で日の出を待ったのであった。」

ナチス・ドイツにとどまる決意

しかしその後ハイゼンベルクの人生は苦渋に満ちたものになりました。第二次世界大戦中、彼はドイツの原爆開発を指導しました。そのため終戦後は批判を受け、米国の科学界では長らく「ペルソナ・ノン・グラータ」でした。これは「好ましくない人物」という意味のラテン語で、外交の専門用語としては外交官としての入国を拒否された者という意味です。ここでは米国の科学界から排除されたという意味で使っています。この自伝の中盤でハイゼンベルクは戦争中にドイツにとどまったことについて釈明を試みます。

「革命と大学生活」の章は一九三三年に彼の研究室を訪れたナチスの学生との対話から始まります。その年の一月にアドルフ・ヒトラーが首相に就任しナチスが権力を掌握します。四月に施行された職業官吏再建法によりユダヤ人は大学の教授職から追放されてしまいました。ハイゼンベルクの同僚の数学教授も、第一次世界大戦時の戦功勲章があったにもかかわらず、地位を失ってしまいます。ハイゼンベルクはそれに抗議するために自らも辞職すべきかどうか悩み、ベルリンを訪れて物理学界の長老であったマックス・プランクに相談します。辞職したらドイツにはいられないので米国などに亡命することになります。

しかし、プランクは「残念ながら、あなた方は大学と、そして教養の高い人間の影響力を過大評価しています」と引き留めました。そのような抗議行動の意図は今のドイツ社会には伝わらないだろうと言うのです。さらに、プランクは「破局の後に来るべき時代のことを考えてください」と言います。ナチスの支配は必ず破滅するのだから、その後の祖国を再建するためにもドイツにとどまるべきだ、というわけです。

プランクとの相談を終えた帰途の思いをハイゼンベルクはこう語ります。

「ドイツにおける生活の基礎が暴力的にうばわれ、そのためわが国を去らねばならなくなった友人たちを、私はうらやましいとさえ思ったほどであった。」

職を失ってドイツを去らねばならなくなったユダヤ人のことをうらやましいというのは、思いやりのない言葉のようにも感じられます。しかしそれほど深い苦悩を感じていたのでしょう。ライプチヒに戻る汽車の中でハイゼンベルクは、

「移住するということは、……一部の狂信的な人間どもに、戦わずしてわが祖国をゆだねてしまうということではないだろうか。」

「破局の間を通して不変の島をきずき、若い人々を集め、そして彼らをできる限り生き生きと破局を切り抜けさせ、そして破局が終わった後で、もう一度新しくやり直すのだ。」

と、ドイツにとどまることを決意します。

「ウラン・クラブ」で原爆開発を指導

一九三九年の夏、ハイゼンベルクは戦前では最後となった米国訪問をしました。そこでイタリアの物理学者エンリコ・フェルミと会います。フェルミはその前年にノーベル物理学賞を受賞し、ストックホルムでの授賞式に出席した後で、そのまま米国に亡命していました。後にマンハッタン計画に参加し、三年後には史上初めて核分裂連鎖反応の制御に成功します。

フェルミは、米国に来れば仕事はいくらでもあるからと、ハイゼンベルクにも亡命を勧めました。しかしハイゼンベルクはこう言って断ります。

「各人が自分の国における悲劇を、自分自身で受け止めるべきだ。」

フェルミの勧めを裏書するような「がら空き」の汽船でドイツに戻ると、やがてドイツのポーランド侵攻が起こりました。第二次世界大戦の始まりです。そしてハイゼンベルクのもとに陸軍兵器局への召喚状が届きました。「原子エネルギーの技術的応用の問題について仕事すべし」との命令でした。

陸軍に召喚された科学者のグループのことを、ハイゼンベルクは皮肉を込めて「ウラン・クラブ」と呼びました。「政治的破局における個人の行動」の章には、同じくウラン・クラブの会員にさせられたカール・フリードリッヒ・フォン・ワイツゼッカーとの会話が記されています。

ハイゼンベルクはワイツゼッカーに対して、原爆開発は「物理学としては非常におもしろい問題」だが、「戦時であり」、「非常な危険に導く可能性のあるものだから」よく考えなければいけないと言いました。しかしドイツの現状を考えると、「原子エネルギーの技術的利用がまだ見通しの立たぬほど遠いものなら、……従事したところで恥ずべきことはない。」むしろそういう研究をすることで、「もっとも才能のある若者たちを、比較的危険少なく戦時を過ごさせる可能性を与えてくれる。」そこで、「さしあたってウラン炉の準備作業に仕事を限るべき」と提案しました。

それに対して、ワイツゼッカーは「よくわかった。そして非常に安心なように思える」と同意します。そして「(ウラン炉の研究は)戦後にも役に立つだろう」とも言います。

戦後は平和主義を進めハンブルク大学の哲学教授となったワイツゼッカーは、ドイツ国内で尊敬される存在でした。戦後にドイツ大統領となり「荒れ野の四〇年」[*45]という有名な演説でドイツの戦争責任を語ったリヒャルトは彼の弟です。そんなワイツゼッカーとの会話をこの本に記したのは、自分をペルソナ・ノン・グラータにした米国の科学界に対する弁明だったのだと思います。ワイツゼッカーも同意していたのだからドイツに残って原爆開発に取り組まざるを得なかった自分の立場や考え方を理解してほしい、という願いが行間から読み取れます。

恩師ボーアとの別れ

第二次世界大戦中の一九四一年、ハイゼンベルクはドイツが占領するコペンハーゲンを訪れ、恩師ボーアと再会します。量子力学の創設に多大な貢献を果たした二人は、しかしこの訪問の後で離反してしまいます。コペンハーゲンで何が話し合われたのか。これは科学史上の謎のひとつとなっています。

この自伝によると、ハイゼンベルクは三つのことをボーアに伝えたいと考えていました。

「原理的には原子爆弾を作り得ること。次に、そのためには大変な技術的出費が必要であること。そして、われわれは、物理学者としてこの問題について仕事をすることが許されるかどうかを、よく自身に問わねばならないということ。」

ハイゼンベルクは、この話を「夕暮れ時に、彼の家の近くを散歩したときになってやっと切り出した」と言います。しかしすべてをきちんと伝えることはできませんでした。ボーアの反応について、ハイゼンベルクはこう書いています。

「残念ながらニールスは、原子爆弾を作ることの原理的な可能性についての私の最初の示唆によって、大変驚愕してしまったので、彼は私の情報の最も重要な部分、つまりそのためには全く大変な技術的な出費を必要とするだろうということに、もはや耳を傾けなかった。」

「おそらく、ドイツ軍による自分の祖国の暴力的な占領に対する当然の憤怒から、彼は国境を越えての物理学者の相互理解を考慮することもできなくなっていたのだろう。」

しかし、そこで本当に何が話し合われたかについては、いくつかの説があります。

ひとつは、ハイゼンベルクが自伝に書いたとおり、原爆製造計画を始めるべきかどうかをボーアに相談したかったという説です。

そうではなく、戦時中も米英の物理学者と交流があったボーアから米国の原爆製造計画について聞き出したかったのではないか。もしくは、ボーアを通じて米国の物理学者に原爆製造への参加を思いとどまらせたかったのではないかという説もあります。戦後、ハイゼンベルクをペルソナ・ノン・グラータとした米国の物理学者の多くはそう疑っていたようです。

もうひとつの説として、ハイゼンベルクは、ウラン二三五の臨界質量についてボーアに相談したかったのではないかというものもあります。戦後になって、ハイゼンベルクが臨界質量の計算を間違っていたことが公開された資料から明らかになりました。そして、ドイツが原爆製造に失敗した理由のひとつはハイゼンベルクの計算間違いだと言われています。

マイケル・フレインによる戯曲『コペンハーゲン』はこの対話の謎をテーマにしています。三脚の椅子が置かれた舞台で、ハイゼンベルクとボーア、そしてボーアの妻のマルグレーテが語り合うだけの劇です。

この劇を最初に観たのはベルギーの首都ブリュッセルでした。国際会議の前夜祭で、ハイゼンベルク役はノーベル物理学賞受賞者のデイビッド・グロス、ボーア役はノーベル化学賞を白川英樹らと受賞したアラン・ヒーガーでした。台本を持ったままお芝居する人もいるアマチュア劇団でした。二度目は三軒茶屋のシアタートラムでした。こちらは、ハイゼンベルクを段田安則、ボーアを浅野和之、マルグレーテを宮沢りえが演じるという豪華キャストでした。

この戯曲は、ハイゼンベルクが発見した不確定性原理と過去の出来事の不確定性を重ね合わせるなど、量子力学の考え方をうまく折り込んでいるので、物理学に興味のある人も楽しめます。ボーアとハイゼンベルクの複雑な師弟関係もうまく表現されていて、ボーアがハイゼンベルクの臨界質量の計算間違いを指摘する場面なども迫力がありました。ハイゼンベルクの『部分と全体』*44と並んで、このお芝居も多くの方に見ていただきたいものです。

戦争協力の葛藤──ダイソン『宇宙をかき乱すべきか』

ボーアやハイゼンベルクらが築き上げた量子力学は、二〇世紀の物理学を大きく発展させました。第二次世界大戦後には、この量子力学を電磁気学と統合する「量子電磁気学」も完成します。この理論はその後「場の量子論」として発達し、素粒子から物性、宇宙にいたる物理学の幅広い分野の基礎となりました。量子電磁気学の発展に寄与したリチャード・ファインマン、ジュリアン・シュビンガーと朝永振一郎には、一九六五年にノーベル物理学賞が授賞されています。

朝永とシュビンガーの研究は、それまでの量子力学の形式を継承していたので、学界にもすぐに受け入れられました。しかし、ファインマンの考え方は独創的だったので、なかなか理解されませんでした。ファインマンがノーベル賞を受賞できたのは、彼の理論が朝永とシュビンガーの理論と同等であることを数学的に証明した人がいたからです。

それがフリーマン・ダイソンでした。恒星の全エネルギーを利用する「ダイソン球」や、彗星を覆う巨大植物「ダイソン・ツリー」など、SFの世界にも影響を与えたアイデアでその名前をご存知の方も多いでしょう。

彼の回想録『宇宙をかき乱すべきか』[*46]も学生時代に読んだ本の一冊です。九六年の長い生涯の前半の話です。

ハイゼンベルクの『部分と全体』と同様に、ダイソンの回想録にも戦争にまつわる科学者の葛藤が描かれています。ダイソンは第二次世界大戦中にケンブリッジ大学に入学し、大戦の後半は英国空軍のオペレーションズ・リサーチ部門で働きます。オペレーションズ・リサーチは、第二次世界大戦の直前にレーダーによる早期警戒システムを改善するために始まった情報工学の分野です。ダイソンは、ドイツの各都市を効率よく空爆するための戦略を担当しました。最初は市民を大量殺戮《さつりく》するための研究を自ら正当化していました。しかし、やがて考え方が変わっていき、最後には「道徳的拠り所がまったくなくなっていた」と告白しています。

戦後一九四七年に米国に渡ったダイソンは、コーネル大学の大学院生になります。指導教員は、太陽のエネルギーが核融合反応で生み出される仕組みを解明しノーベル物理学賞を受賞したハンス・ベーテです。そのコーネル大学で新進気鋭の教授として活躍していたのが、ファインマンでした。

「代数タイプ」と「幾何タイプ」

当時、コロンビア大学のウィリス・ラムが水素原子のエネルギーを精密な実験で測定し、それまでの量子力学の計算と合わないという結果を発表していました。これは大きな謎として注目されていました。

ダイソンが渡米した翌年に開かれた会議では、ハーバード大学教授のジュリアン・シュビンガーがこの問題について八時間もの講演を行いました。シュビンガーは量子力学の原理を原子内の電磁場にも当てはめ、「量子電磁場」の効果を計算することでラムの実験結果を説明しました。量子力学を正統的な方法で電磁場に拡張し、そこに現れる難解な数式を黒板の前で次々に解いていくシュビンガーの講演は、出席者を感心させました。

シュビンガーに続いて登壇したのはファインマンでした。彼は自ら開発した「ファインマン・ダイアグラム」を使った計算方法の話をしました。彼の計算でもラムの実験結果が説明できます。しかし誰もそれをわかってくれませんでした。ダイソンによれば、ファインマンは「方程式を書くことなしに、彼の頭の中から直接に回答を書き下ろした」ので、彼が何をやっているのか、その答えがどうして信用できるのか、聴衆には理解できなかったのです。

ファインマンについて、ダイソンは「(彼の)頭は絵画的だった」と書いています。理論物理学者には「代数タイプ」と「幾何タイプ」があると言われます。ダイソンが絵画的と呼んでいるのは幾何タイプのことです。

代数では、数式を順番に変形していく直線的な作業を正確に行うことが重要です。シュビンガーはこれが得意なタイプでした。当時はそれが量子力学の正統派でした。

それに対して幾何では、中学校の図形問題の補助線のように一瞬のひらめきで問題が解けることがあります。ファインマンはこちらのタイプの科学者でした。

ちなみに私自身は幾何的に問題を解くことに長けていると思います。しかし最終的にはそれを代数の言葉に書き直して初めてきちんと「わかった」と感じます。幾何タイプと代数タイプのハイブリッドなのかもしれません。

数についてどんなイメージを持っているか聞くと、幾何タイプと代数タイプを見分けられることがあります。幾何タイプは、0、1、2、……という数について図形的なイメージを持っていることが多いようです。私もそうで、たとえば「一〇〇万」と聞くと「あっ、あのあたり」と頭の中で位置を思い浮かべます。計算をする時には数字の位置が動いていくように感じます。

ファインマンの研究スタイルについてダイソンはこう書いています。

「彼は何ごとにつけてもだれの言葉をもそのまま信じるのを拒否した。そのため、彼は物理のほとんど全部を自分自身で再発見または再発明せざるを得なかった。」[*34]

先ほどご紹介した物理学の教科書『ファインマン物理学』も、まさに彼が「再発見または再発明」した物理学の体系でした。その伝説の講義を受けた卒業生が苦笑まじりに「ひどい目に遭った」と語っていたのも無理はありません。

灰と瓦礫の東京から届いた声

その年の夏、ダイソンはファインマンに誘われて、オハイオ州からニューメキシコ州までアメリカを横断する長距離ドライブに付き合います。このエピソードが前半のハイライトです。途中で怪しげなモーテルに泊まることなどもあり、まるでロードムービーを見ているような楽しさがあります。

旅をしながら二人は多くのことを語り合います。マンハッタン計画に参加したファインマンがロスアラモスで手がけた仕事のこと。その間に最初の奥さんを亡くしてしまったこと。核兵器の未来も話題になりました。ファインマンは悲観的で、それによって人類が滅びるかもしれないと語っています。

もちろん量子電磁気学についても議論しました。ダイソンは「私たちは、互いに相手の考えを攻撃し、それが二人のどちらにとっても正しく考えるのを助けた」と回想しています。ファインマンが「幾何タイプ」なのに対し、ダイソンはシュビンガーと同じように「代数タイプ」でした。異なる考え方の人たちが建設的に批判し合う議論は、お互いの理解を深めます。

ダイソンはニューメキシコ州でファインマンと別れ東海岸に戻ります。そしてミシガン大学で開かれた五週間の夏の学校に参加し、あらためてシュビンガーの講義を聞きました。ファインマンとの議論を経たダイソンは、この講義を「他の誰にもできなかったほどよく理解できたと感じた」と書いています。

夏の残りをカリフォルニアで過ごしたダイソンは、グレイハウンドのバスでコーネル大学に帰ります。

「バスが単調な音を立ててネブラスカを横断しているときに、突然あることがおこった。……ファインマンの描像とシュビンガーの方程式とが、私の頭の中で、かつてないほど明快に調和し始めた。……紙も鉛筆も持っていなかったが、すべてが極めて明らかだったので紙に書く必要はなかった。」

シュビンガーの代数的アプローチとファインマンの幾何的アプローチが、ダイソンの頭の中で統一された瞬間です。

長い夏が終わりダイソンがコーネル大学に戻る頃、ベーテのところに「日本から小さな小包」が届きました。ベーテは、その小包に入っていた論文を、夏休みから戻ったダイソンに読ませます。論文の著者は朝永振一郎でした。その論文には「シュビンガーの理論の中心的アイデアが、なんらの数学的技巧なしに簡単かつ明瞭に述べられていた。」

「トモナガは最初の本質的な一歩を踏み出していた。そして、一九四八年の春、東京の灰と瓦礫の中に座しつつ、あの感動的な小包をわれわれに送ってきた。それは、深淵からの声としてわれわれに届いた。」

ダイソンは三名の名前を冠した「朝永、シュビンガーとファインマンの放射理論」という論文を発表します。これによって三名がノーベル物理学賞を共同受賞しました。ダイソンの貢献も重要でした。しかしノーベル物理学賞の定員は三名なので仕方ありません。

その二年後、まだ博士号も取得していなかったダイソンは、ベーテの推薦でコーネル大学の教授になります。

それ以降のダイソンの仕事は物理学の世界にとどまりません。この本の後半には、基礎数学から原子力工学、宇宙工学、地球外生命、さらには核軍縮や安全保障論にいたる幅広い分野での活躍が描かれています。たとえば原爆を次々と爆発させその勢いで恒星間を移動するロケットを提案するなど、その発想には奇想天外なところがあります。学生時代に読んだ時には「こんな科学者もいるのか」と驚き、この世界の広さに強い印象を受けました。

ゆううつだ、ゆううつだ——朝永振一郎「滞独日記」

朝永振一郎の名前が出てきたので、彼の本についてもお話ししましょう。

朝永は随筆も巧みです。京都で育った朝永は、理化学研究所の研究員として東京に移ってから寄席で落語を聞くことをおぼえました。後年は大学祭などでドイツ語で落語を演じるなどしていただけあって、朝永の文章には洒脱なユーモアがあります。

随筆集『鏡のなかの世界』[*47]には、朝永がライプチッヒ大学のハイゼンベルクの研究室に留学した時の「滞独日記」が収録されています。日記の日付は一九三八年四月九日から翌年五月二八日となっています。この時期の朝永は苦悩を抱えていました。

当時の物理学界では朝永のライバルである湯川秀樹が脚光を浴びていました。湯川が後にノーベル物理学賞を受賞する中間子理論を発表したのは、朝永が滞独日記を書き始める三年前のことです。一方、朝永は研究が思うように進まず焦燥感に苛まれていました。

「十月十六日　このごろは心がかなしくていけない。……自然はなぜ、もっと直さい明瞭で素朴でないのだろう。」

「十一月十七日　朝からいんうつな天気。湯川、坂田、小林、武谷の共同論文送ってくる。彼らはもはりきっているのに、こちらはドイツまで来てくさっている。そして、ゆううつだ、ゆううつだと、くりかえしている。」

しかし、その中には量子電磁気学の完成という偉業につながる研究の一端も見られます。

「十二月十四日　計算を進めて積分が発散した。……中間状態の陽子中性子の状態がやたらに

[図8]朝永振一郎（1906−1979）

たくさんあって、積分が発散してしまうのである。」

量子電磁気学の困難は、計算をすると答えが無限大になってしまうことにありました。朝永はこれを「積分が発散した」と表現しています。この問題を解決したのが朝永の「くりこみ理論」でした。しかし当時は、朝永の前に大きな壁として立ちはだかっていたのです。

「十一月廿二日　仕事の行き詰まりをうったえて、少しばかり泣きごとを仁科先生にかいたのに、先生から朝がたに返事がきた。センチだけどもよんでなみだが出てきた。いわく、業績があがると否とは運です。先が見えない岐路に立っているのが吾々です。それが先へ行って大きな差ができたところで、あまり気にする必要はないと思います。またそのうちに運が向いてくれば当たることもあるでしょう。小生はいつまでもそんな気であてに出来ないことをあてにし日を過ごしています。……うんぬん。これをよんでなみだが出てきたのである。学校に行く路でも、この文句を思い出すごとに涙がでたのである。」

この「仁科先生」とは日本の近代物理学の父とされる仁科芳雄のことです。日本の物理学界で最も権威のある「仁科記念賞」は彼を記念したものです。

『部分と全体』[*44]によると、ハイゼンベルクがドイツにとどまることを決意したのは一九三三年で、「ウラン・クラブ」の会員として原爆開発に関わり始めたのは一九三九年でした。朝永はハイゼンベルクにとって困難なこの時期に彼の研究室に滞在していたのです。

ドイツと英国の関係が風雲急を告げ、朝永は一九三九年八月にドイツを離れます。その翌月にはドイツがポーランドに侵攻し、第二次世界大戦が始まります。朝永は当時の緊張した雰囲気を、『科学者の自由な楽園』[*48]に収録されている「ハイゼンベルク教授のこと」という文章で次のように書いています。

「そのころのドイツはナチス最高潮のときであって、ハイゼンベルク教授にとって不愉快なことが少なからずあったように見えた。彼自身はユダヤ人ではないが、彼の学風がユダヤ的であると非難する記事が当時の新聞に出ているのを筆者は見たことがある。」

また、この本には朝永が一九五四年の読売新聞に寄稿した記事も再録されています。

「世界の物理学の中心はドイツにあった。そのころ、ドイツの物理学はケンランたるもので、若いすぐれた学者が雲のようにあらわれた。それが急に衰えてしまったのは、一つはユダヤ系学者の亡命にもよるが、それだけが原因では決してない。それは、基礎科学を軽視する気風がナチスの誤った政策によって国全体にひろがったからである。」

ドイツは本書第四部で説明する「フンボルト理念」によって一九世紀前半に大学制度を整備

し、その後一世紀にわたって世界の科学の中心となりました。しかし、誤った政策により、それがほんの数年で衰退してしまったのです。

「自由な楽園」での素晴らしき日々

先ほど挙げた『科学者の自由な楽園』という書名は、ドイツ留学前後に朝永が所属していた理化学研究所（理研）のことを指しています。

戦前に設立された理研は、純粋科学を追究する研究部門と、その発見を新製品につなぐ開発部門からなっていました。理事長の大河内正敏は起業精神に富む人で、理化学興業という会社を設立します。そして、そこを通じて理研の発明を工業化する数々のベンチャー企業を立ち上げました。たとえば、ビタミンAを製造した「理研ビタミン」は、現在も「マボちゃん」や「ふえるわかめちゃん」などの商品で広く知られています。事務機器や光学機器メーカーの「リコー」は、もともと理研で開発された感光紙の製造販売をする会社でした。そのほか、合成酒やアルマイトの発明・製造・販売でも利益を上げています。

理研の研究費のおよそ七五パーセントは、これら営利企業からの収入でまかなわれていました。新しい知を創造する基礎研究と、それに社会的・経済的価値を見出す応用研究が、うまくつながっていたのです。自前の財源が「科学者の自由な楽園」を可能にしていました。

理研で朝永を指導した仁科は、一九二一年からヨーロッパに留学し、一九二三年からはコペンハーゲンのニールス・ボーア研究所にも滞在しています。そして一九二五年の量子力学誕生をその現場で目撃します。上下の隔たりのない自由闊達な議論を経験した仁科は、そのコペンハーゲン精神を理研に持ち帰りました。『鏡のなかの世界』[*47]に収められた随筆「わが師・わが友」では、朝永は理研の素晴らしさをこのように書いています。

「理化学研究所で驚いたことは、その全く自由な空気である。」

「先生たちも若いものも、お互いに全然遠慮なく討論する。」

「この生き生きとした空気の中で、京都時代の重苦しい気分は、一枚一枚とうす皮をはぐようにとれて行った。」

京大の研究室では、朝永と湯川は同室でした。この随筆では湯川のことを「ときには刺激が強すぎて、いささか閉口したこともあった」と書いており、二人の関係は複雑だったようです。

朝永は、このような回想も書き留めています。

「研究テーマの方法や選択は研究員の自主性にまかされており、研究が役に立たないからといって文句をいわれることもなかった。」

「研究にとってなにより必須の条件はなんといっても人間である。そして、その人間の良心を信頼して全く自主的に自由にやらせてみることだ。よい研究者は……何が重要であるかみずから判断できるはずである。」

ここで朝永が指摘していることは今日の科学政策とも深く関わる話なので、本書第四部で改めて考えることにします。

理研・仁科の原爆研究

理研で朝永の上司であった仁科も、第二次世界大戦中は原爆研究と無縁ではいられませんでした。

一九三八年にドイツのオットー・ハーンらが中性子照射によるウランの核分裂反応を発見すると、こうした核分裂によって膨大なエネルギーを生み出せることがわかりました。ハーンらは、ウランが吸収できるような遅い中性子を照射しないと、核分裂が起きないと考えていました。しかし、仁科のグループは、理研で完成したばかりの小型サイクロトロン（円形加速器の一種）を使って、もっと速い中性子でも核分裂が起きることを発見します。

これは重要な発見でした。たとえば、『部分と全体』[*44]のハイゼンベルクとワイッゼッカーの対話では、ハイゼンベルクが、

「自然界に存在するウランのままでは、いずれにしても早い中性子による連鎖反応はおこせない。したがって原子爆弾も作れそうにない。それは非常な幸運だ。」

と言っています。ハイゼンベルクは仁科たちの発見を知らなかったので、原子爆弾はできないと思い込んでいたのです。

仁科はさらに大型のサイクロトロン建設を計画します。そして、その設計について相談するために、矢崎為一ら研究員をカリフォルニア大学バークレイ校のアーネスト・ローレンスのもとへ派遣しました。ローレンスはすでに米国の原爆開発計画に参加していたので、米国連邦政府から実験室の公開を禁止されていました。しかし日本からはるばるやってきた矢崎らを歓迎します。そして矢崎から「速い中性子」による核分裂の研究成果を聞くと、早速その追試を始めました。日米開戦二年前のことです。

その六年後に広島と長崎に投下された原子爆弾に使われたのは速い中性子でした。

一九四一年四月、陸軍は理研の仁科に「ウラン核分裂の軍事利用調査」を依頼します。ハイゼンベルクのところに届いた「ウラン・クラブ」への召喚状とは異なり、強制ではありませんでした。大型サイクロトロンの完成に全力を注ぎたかった仁科は、当初は消極的でした。しかし最終的には、多くの若者を兵役から守れることや、巨額の開発費の一部をサイクロトロン建設に振り向けることができることも期待されたので、受託します。

仁科は受託する前に、担当の軍人に「核分裂は原爆にも使えるし、エネルギー源にもなる。どちらの開発が先になるかわからない」と説明しました。すると相手は「どちらでもよい」と答えたそうです。ウラン・クラブでのハイゼンベルクとワイツゼッカーの会話を思い起こさせるようなやり取りです。

一九四一年一二月の真珠湾攻撃で日米が開戦し、その半年後のミッドウェー海戦で日本海軍は大敗します。

その頃「ウラン濃縮の理論計算のお手伝いをしましょうか」と申し出た朝永を、仁科は「お前のようなものは勝手に勉強しておれ」と追い返します。当時の朝永は量子電磁気学の研究に取り組んでおり、ノーベル物理学賞の授賞理由にも引用された「場の量子論の相對律的な定式化について」を理研の雑誌に掲載しています。仁科は、こうした朝永の基礎研究の重要さを理解して、あえて原爆研究に近づけなかったのかもしれません。しかし朝永といえども軍事研究と全く無縁というわけにはいきません。海軍技術研究所でレーダーなどにも使われる磁電管の発振機構と立体回路の理論的研究にも従事していました。

科学者としての好奇心、人としての倫理

ハイゼンベルクとボーアが登場する『コペンハーゲン』のように、朝永をモデルとした戯曲もあります。本郷の下宿屋を舞台にする群像劇『東京原子核クラブ』です。私は六本木の俳優座劇場で鑑賞しました。物理学に関する台詞は正確で、朝永の葛藤も私のような現場の科学者

にも納得がいくように描かれていました。

この作品の後半では原子爆弾の開発とそれに対する科学者の態度がテーマになります。朝永をモデルとした「友田」は、終戦後に焼け残った下宿屋の跡を訪れ、広島・長崎への原爆投下について「人間の大脳皮質が発達を続ける以上、自然法則の探究は止められない」と自らの苦悩を語ります。

ダイソンの『宇宙をかき乱すべきか』にも、アメリカを横断する旅の途中でファインマンが同じような葛藤を語る場面があります。ファインマンはマンハッタン計画で計算機部門のリーダーを務め、ドイツに負けないように原子爆弾の開発を急ぐうちに、

「あまりに激しくオールを漕いでいたので、ドイツが戦争から脱落して、自分たちだけが競争を続けていることに誰も気づかなかった。決勝ラインを越えて、最初の原爆実験の日、……ジープのフードの上に腰かけ、歓喜してボンゴをたたいていた。」

「後になってはじめて彼は考える余裕ができて、最初に本能的に答えたこと（原爆の研究に招かれて「私はいやです」と即答したこと）のほうが正しかったのではないかと思うようになった。それ以来、軍部研究に参加することを一切拒絶した。彼は自分が仕事に有能でありすぎ、それを楽しみすぎたことを知っていた。」

ハイゼンベルク、ダイソン、朝永、そしてこのファインマンの話に共通するのは、科学者と

しての知的好奇心と人間としての倫理観との矛盾です。

知的好奇心は科学者を自然現象の解明に駆り立てます。私は仏教学者の佐々木閑《しずか》さんとの共著『真理の探究』[*49]で、人間の知的欲求について、「どんなものでも、その機能が発揮できるときが幸せなのだと思います」と書きました。たとえば、我が家で飼っているテリアは本来は猟犬なので、野原でリスや小鳥を追っている時の方が生き生きとしています。人間の場合には、デカルトが「われ思う故にわれ有り」と書いたように、意識があること、考えることができることが生きていると感じることの根幹にあります。そこで私はこのように結論しました。「より深く、より正しく物事を理解しようとすることが、意識の本来の機能です。より深く物事を理解する方が、より深い幸せにつながると思うのはそのためです。」

しかし、科学者は自然現象の解明という機能を発揮することで、自らの倫理観と矛盾してしまうことがあります。たとえば、科学や技術の極限を要求する軍事技術の開発にはチャレンジングな問題が多く、科学者の好奇心を刺激します。しかし、その結果が人類に大きな災厄をもたらすこともあるのです。

科学の発見は善でも悪でもない

基礎科学の研究も人類の知識の境界を広げようとするので、科学や技術の極限を求めます。

そのため基礎研究から生まれた技術が思いがけない応用を持つことはよくあります。たとえば、素粒子物理学の研究所であるスイスのCERNでは、何千人もの研究者が情報を共有するために、インターネット上で情報をやりとりする「ワールド・ワイド・ウェブ」が発明されました。今やその恩恵を受けていない人はいないでしょう。

基礎科学の発見は、それ自身では倫理的に善でも悪でもありません。そもそも発見された段階では、どのような実用性があるのかもわからないことが多い。そのため科学の発見は「価値中立的」であると言われます。ここでの「価値」とは社会の役に立つかとか、害をなすかという意味です。発見そのものの学問的価値のことではありません。これは、一九世紀末から二〇世紀はじめに活躍した社会学者マックス・ウェーバーが、科学のあるべき姿として、政治、倫理、社会、経済などの価値判断から独立な知識体系を表現するために使った言葉です。

価値中立的な発見に社会的・経済的な価値を見つけ実用化することは、それ自身が科学とは別の創造的な仕事です。たとえば、理化学研究所を純粋科学を追究する研究部門とその発見を新製品につなぐ開発部門に分け、研究部門の発見を開発部門で実用化し、次々にベンチャー企業を立ち上げていった大河内正敏は、「価値中立的な科学の発見に価値を見出す」という創造的な仕事をしたのです。

科学の発見に軍事的価値が見つかってしまうこともあります。たとえば、浮世離れした学問と思われる天文学でも、観測のための最先端技術が軍事に転用されることもあります。そのため米国では天文学の大きなプロジェクトに中国の科学者の参加を禁じる場合が増えてきました。軍事的に価値のある技術を盗まれることを恐れているからです。

軍と天文学者が、一方は軍事のため、もう一方は基礎科学のために、同じ技術を独立に発明したこともあります。米ソ冷戦の最中、米国国防総省はソビエト連邦のスパイ衛星を追跡する技術を開発していました。しかし、地上から人工衛星を撮影しようとすると、大気の揺らぎが画像をゆがめてしまいます。この問題について相談を受けた科学者たちは、大気圏の上空にナトリウムの層があることに着目し、そこにレーザー光を当てて光らせることを思いつきます。上空のナトリウムからの光で大気の揺らぎを観測すれば、スパイ衛星の画像を修正できるのです。補償光学と呼ばれるこの技術は軍事機密にされました。ところが、フランスの天文学者が天体観測のために同じ技術を発明し、論文として発表してしまいます。国防総省はそれまで機密にしていた技術を公表せざるを得なくなりました。大気の揺らぎを観測して画像を修正する技術は、それ自身は「価値中立」で、それが軍事にも基礎科学にも使いうるという例です。

最近急激に発展している量子コンピュータやAIの技術なども、それ自身は価値中立です。人間の生活を改善することに使える一方で、軍事への応用も可能です。量子コンピュータの技術は敵国の暗号の解読に使える可能性があるので、米国の国防総省は大きな研究投資をしています。ビッグデータの技術が政治に悪用されることも問題になっています。

村上陽一郎が『新しい科学論』[*50]で指摘しているように、「科学はもともと人間の営み」であり、「人間や人間社会から切り離され」て存在しているわけではありません。ハイゼンベルク、朝永、ダイソン、ファインマンらの葛藤は七五年以上も前のことでした。しかし知的好奇心と倫理的な善との矛盾は今日的な問題でもあります。科学者や技術者を志す人は、彼らの回想を読んで自分だったらどうするだろうと考えておくのもよいことだと思います。

［図9］湯川秀樹（1907 −1981）

基礎科学という地図のない旅――湯川秀樹『旅人』

朝永振一郎の著作をいくつも取り上げたので、ライバルとして彼を苦しめた湯川秀樹の話もしておきましょう。

湯川は私の少年時代のヒーローでした。小学生の時に読んだ彼の伝記には、中間子の存在を真夜中に寝床の中で思いついたと書いてありました。思考の力だけで自然界の最も深いゆるぎない真実に到達したという話に感動しました。

湯川のノーベル賞授賞式では、スウェーデン王立科学アカデミー会長が「あなたの頭脳は実験室であり、ペンと紙がその実験器具である」と賞賛しています。

『旅人』[*51]は、五〇歳になった湯川が子供時代から中間子論を発見するまでを回想した本です。タイトルは「未知の世界を探究する人々は、地図を持たない旅行者である」という有名な一節から取られています。工学のような学問では「こういうものを実現したい」というはっきりとした目標があることが多いので、それに向けた地図も描きやすいかもしれません。しかし基礎科学の場合には自分が思い描いたとおりに研究が進むことはほとんどありません。初めに目指していた目標と全く違う成果が得られることもよくあります。研究が計画どおりに進まず、思いがけない発見がある方がよい結果になることが多い、というのが私の経験です。地図を持たず、行き先もよくわからないままうろうろと歩き回る「旅人」というたとえは、よくわかります。

日本では、理論物理学者としては、朝永より湯川の方が一般にはよく知られているようです。しかし私は朝永のスタイルにひかれます。その理由を説明しましょう。朝永や湯川が専門とした素粒子論の研究は、

1 「量子電磁気学」や「超弦理論」のような理論を研究し、それを使って自然現象を理解する方法を開発する分野

2 そのようにして開発された理論的方法を使って、素粒子の現象を説明する「理論モデル」を構築する分野

の二つに大きく分かれています。

湯川の中間子論は自然界の基本的な力を説明するために中間子という「理論モデル」を提唱したもので、2の分野に属します。一方、朝永は量子電磁気学の完成によって1の分野に大きな業績を残しました。日本がノーベル賞を席巻した二〇〇八年の物理学賞受賞者では、対称性の自発的な破れの一般的な性質を明らかにした南部陽一郎の業績は1、クォークが六種類以上必要になると予言した益川敏英と小林誠の業績は2の分野になります。

私自身は場の量子論や超弦理論の理論的探究に取り組んできたので、1のタイプの研究者です。そのため、たとえば朝永の「滞独日記」を読むと、研究に関する彼の苦悩が身に染みてわかります。また、朝永の本を読んで彼の思考法を学ぶことは、私の研究にも役立ちました。これに対し、湯川が寝床の中で中間子の存在を思いついた話は、小学生の時には伝記で読んで感動したものの、発想が天才的すぎて私の研究には参考になりませんでした。

概念を創造する――シュレディンガー『生命とは何か』

本章の最後に、学生時代に読書を通じて影響を受けた物理学者をもうひとり紹介しておきましょう。ボーアやハイゼンベルクと並んで量子力学の創設に大きく貢献したオーストリア出身の理論物理学者エルビン・シュレディンガーです。量子力学の不思議な性質を例示する「シュレディンガーの猫」という思考実験で、その名前を聞いたことのある人も多いでしょう。

　シュレディンガーは、ハイゼンベルクが量子力学を創設した翌年に量子力学の基本方程式を発表します。彼の方程式は数学的にはハイゼンベルクの理論と等価でしたが、それを全く違う方法で表現するものでした。ハイゼンベルクの理論は、当時の物理学者にはなじみのない新しい数学を使った難解なものでした。一方、シュレディンガー方程式は、ゾンマーフェルトのような古いスタイルの物理学者にもわかりやすいものでした。

『部分と全体』[*44]には、ゾンマーフェルトのゼミナールで、ハイゼンベルクとシュレディンガーが対決する様子が回想されています。二人は量子力学の解釈について異なる意見を持っていました。しかし、シュレディンガー方程式がわかりやすいものだったため、シュレディンガーの方が説得力がありました。ゾンマーフェルトもシュレディンガーに賛同してしまいます。ハイゼンベルクはがっかりして、「この討論に当たって、私は全くついていなかった」と書いています。しかし量子力学のその後の発展はハイゼンベルクの解釈が正しかったことを示しています。

　ここで取り上げたいシュレディンガーの本は、量子力学ではなく、生物に関するものです。祖国オーストリアがナチス・ドイツに併合されたためアイルランドに亡命したシュレディンガーは、一九四三年にその地で一般講演を行いました。その講演をまとめた本が『生命とは何か』[52]です。

生命という自然現象は実に不思議なもので、生物学者にさえ簡単には定義できません。シュレディンガーは、その「生命とは何か」という大きなテーマに、物理学の手法でアプローチしました。この本で彼が語ったビジョンは、DNAの二重らせん構造を発見したフランシス・クリックとジェイムズ・ワトソンにも大きな影響を与えています。

物理学は「方法の学問」なので、その方法は物体の運動だけでなく、すべての自然現象の理解に使うことができます。大学教養部で勉強した『ファインマン物理学[34]』にも、物理学の方法がミツバチの目の仕組みの理解にも使えることが書いてありました。ただし、そこでのファインマンの説明は、物理学の伝統的な分野である光学の理論の応用にすぎませんでした。これに対し、シュレディンガーは、「生命とは何か」というような生物学の本丸の問題に物理学のアプローチで真正面から取り組み、新しい理論を打ち立てようとしていました。「物理学はどんな問題に使ってもいいのだ」と新しい窓が開かれた気がしました。

また、シュレディンガーはこの本の中で、物理学が進歩していく上では「概念の創造」が重要であることを強調しています。私はそれにも強い印象を受けました。

物理学の発展においては、新しい概念が重要になる場面がいくつかありました。そのひとつに電場や磁場、重力場という時の「場」があります。場は、物体のように空間のどこかの場所にあるのではなく、空間全体にあまねく拡がった状態を表します。このような概念が受け入れられるのには長い時間がかかりました。

場の概念の登場について、アインシュタインとインフェルトの『物理学はいかに創られたか』*53にはこのように書かれています。

「ニュートン以来もっとも重要な概念が物理学に登場した。『場』である。物理現象の記述においては、電荷や粒子ではなく、電荷や粒子の間の空間に拡がった場こそが重要だと気づくには偉大な科学的想像力を要した。」

場の概念が物理学に定着していく歴史は、山本義隆の『磁力と重力の発見』*54のテーマにもなっています。

このように、新しい現象を解明するためには、しばしば新しい概念が必要になります。シュレディンガーは、「生命とは何か」という大きな問題を物理学のアプローチで理解しようとするなら、何か新しい概念が必要になるだろうと語っていました。それがどんな概念かという答えは書いてありません。しかし、この本で学問における概念の重要性を印象付けられたことは、私の研究に大きな影響を与えました。

コラム　概念は取り扱いに注意

概念の重要性は物理学に限ったことではありません。NHKの報道番組『クローズアップ現代』のキャスターを番組開始から二三年近く務めた国谷裕子の『キャスターという仕事』[*55]には、詩人の長田弘との対談が引用されています。そこで長田は次のように語っています。

「ニュース番組というのは、その時までになかった出来事を前にして、それをどう言い表すかという言葉を見つけないと届かない。というのも、ニュースというのは、情報と同時に、概念を提示しないといけないからですね。……不明瞭なものに、言葉は概念を与えていく。」

ニュース番組で新しい事実を表現するための言葉を見つけることは、物理学で新しい概念を定義することに似ているようです。

しかし国谷は、新しい事実を表現するための言葉が、時として両刃の剣にもなることを指摘しています。たとえば、衆参両院で多数派を形成する政党がそれぞれ別の政党になっている状態を表現する「ねじれ国会」という言葉には、正邪の判断が忍び込んでいます。「ねじれ」という言葉からは「なにか正常でない事態、是正すべき事態」という印象が生じると、国谷は指摘しています。たしかに「ねじれ国会」では法案がなかなか成立しないという面があります。しかし、選挙によって生まれた状態なので、民意の反映でもあります。衆院と参院がお互いにチェックし合うことで、たとえ時間はかかってもより健全な意思決定になる。これは必ずしも是正すべき状態とは言えないのです。

このように作られた概念がひとり歩きして考えを縛ってしまうことは、物理学でも起きます。たとえば、物理学者が熱現象の研究を始めた時に、「熱」という言葉があるために、それが何か物質に固有な量であると考えられていた時期がありました。しかし、その後の熱力学や統計力学の発展により、熱とは物質に固有の性質ではなく、物質の間のエネルギー交換の一形態であることがわかりました。

『方法序説』[*12]で私が納得できなかった神の存在証明でも、デカルトは「概念があればそれに対応する実体がある」という誤謬《ごびゅう》を犯していたのだと思います。概念は理解を助けますが、取り扱いには注意が必要です。

新しい概念を思いついたら、それによい名前を付けることも大切です。たとえば、原子核の中にある陽子や中性子は、より基本的な素粒子三個の組み合わせからできています。組み合わせによって陽子になったり中性子になったりします。これを思いついたマレー・ゲルマンは、この素粒子に「クォーク」という名前を付けました。これはジェイムズ・ジョイスの

小説『フィネガンズ・ウェイク』でカモメが「クォーク」と三回鳴くことに因んでいます。

同じ頃、ジョージ・ツバイクも同様の素粒子を思いつき、「エース」という名前を付けました。しかし、トランプではエースのカードは三枚ではなく四枚なので、この名前はしっくりきません。そのためかクォークという名前が定着し、「クォークの発見者はゲルマン」という印象になってしまいました。

第二部
武者修行の時代

新しい知を創造する

ここまでは、私の小学生の頃から大学の理学部を卒業するまでを振り返ってきました。私は素粒子論の研究者になりたかったので、学部卒業後にそのまま大学院に進みました。

博士課程にまで進む大学院生がなすべきことは、それまでの勉強とは全く異なります。

日本では、博士課程に進む頃には博士論文に向けた研究が始まっていることが期待されています。米国の大学院でも、同じ頃に「博士候補審査」を受けます。広い分野の教授からなる委員会の前で研究の計画を発表し、その分野についての知識、研究の現状や将来の展望について口頭試問を受け、博士号に値する研究が達成できる可能性が判定されるのです。合格すれば「博士候補者」として本格的に研究を始めることができる。これは大学院生の中でもひとつのステータスで、「私は博士候補者です」と誇らしげに自己紹介をする者もいます。

博士論文が完成すると、いよいよ論文審査です。審査委員会の教授たちの様々な方向からの質問に答えて、「人類の知識を自らの研究によって押し広げ、科学の進歩に価値のある貢献をした」ことを納得させなければなりません。指導教官にとっても、学生の博士論文審査は自らの教育や指導の力を問われる場です。私も自分の学生が審査を受ける時は緊張します。

このように博士号が与えられるのは新しい知を創造した者に限られます。知識が豊富というだけで博士になれるわけではありません。それまで誰も知らなかったことを発見し、人類の知識を進歩させたことが博士号の条件なのです。

大学院でつけるべき三つの力

本書第一部の「大学までの勉強の三つの目標」の節で、大学までの勉強の目標は、

1　自分の頭で考える力を伸ばす
2　必要な知識や技術を身につける
3　言葉で伝える力を伸ばす

の三つであると書きました。大学院に進むと目標が変わります。私は、大学院は次の三つの力をつける場所であると考えています。

1　問題を見つける力

大学までの教育では与えられた問題を解くことだけが期待されていたかもしれません。しかし大学院では自ら問題を見つける力を鍛えなければいけません。しかもその問題は新しければよいというわけではありません。

私が高校時代に読んだポアンカレの『科学と方法』*16には、科学の幅広い分野に影響を与える

普遍的な成果を得ることが重要だと書かれていました。その一方で、現在ある知識や技術で成果の得られる目標でなければなりません。大学院に在籍している数年の間に博士論文を書くのですから、その期間に解決可能な問題を見つける必要があります。

そのような「よい問題」を見つけるためには、まずは研究分野を俯瞰してその最先端が何なのかを見極めなければいけません。将来性があり十分にチャレンジングな問題は、それよりも少し先にあるはずです。それを踏まえた上で、努力すれば解決に手が届きそうな適度に難しい研究課題を見つけることができる。それが研究者に求められる問題発見の力です。

米国の大学院の博士候補審査で問われるのは、そのような「よい問題」を見つけたかどうか。それができたものだけが博士候補者になれます。

2　問題を解く力

これが必要なのは当然ですね。せっかくよい問題を見つけても、それが解けなければ何にもなりません。その反面、必要な知識や技術を全部身につけるまでは問題に取り組めない学生を見かけることがあります。しかし、どのような知識や技術が必要になるのかわからないのが、最先端の研究というものです。これまで誰も行ったことのない場所に行き、誰も解いたことのない問題を解こうというのですから。

そこで、時には懐手をしていないで、思い切って問題に飛び込む勇気も必要です。具体的な問題に取り組むことで、どのような知識や技術が必要なのかがわかりますし、それを集中して効率的に習得しようという目的意識も生まれます。新しい知識や技術が必要になった時に、それをすぐに学んで研究に役立てるのも「問題を解く力」の一部だと言えます。

3　粘り強く考える力

価値のある発見をし、人類の知識を押し広げることは、簡単ではありません。答えにたどり着くには、あきらめずに時間をかけて粘り強く考え続ける力が必要です。私がそれを初めて実感したのは、二〇代半ばにプリンストンの高等研究所の研究員になった時のことでした。

それまで東京で研究していた私のところには、プリンストンから画期的な論文が次々と届いていました。そこで、赴任する時には「そこには、どんな天才、秀才が集まっているんだろう」とドキドキしていました。

ところが実際にそこの研究者に会って話をしてみると、彼らの日常的な議論がそれほど鋭いわけではありません。黒板に数式を書きながら「ああでもない、こうでもない」と悩んでいる姿を見ると、私の東京での日常と変わりませんでした。

しかしそれを考え続ける体力は全く違いました。次の日も、その次の日も、同じ黒板の前で

「わからない、わからない」と頭をひねり、誰か通ると捕まえて「どう思う」などと聞いています。かと思うと研究室にこもって朝から晩まで長い計算をしています。同じ問題をあきらめずに考え続け、最後には解いてしまう。そうやって物事を底の底まで深く理解するまでしぶとく考える耐久力の強さには感服しました。

湯川秀樹が自伝『旅人』[*51]に「未知の世界を探求する人々は、地図を持たない旅人である」と書いたように、科学の研究はオアシスを求めて砂漠をさまようようなものです。地図がないので、どちらに行けばオアシスにたどり着けるのかわかりません。そもそもオアシスがあるという保証もない。何年もかけて考えたことが実を結ばないのではないかと不安になることもあります。それでも考え続けるには粘り強さが必要です。

私の親しい友人のひとりに、ブラジル人の女性と結婚してブエノスアイレスに移住し、現在はユネスコの南米基礎研究所の所長をしているネーサン・ベルコビッツさんという研究者がいます。彼は「弦の場の理論」という大きなプロジェクトを抱え、場の量子論の形式を使って弦理論を完成させようとしています。難しいテーマなのでまだ完成していません。しかし、ほかの研究をしている時にも、必ず毎日一時間は机の前に座って「弦の場の理論」について考えるそうです。数カ月の話ではありません。それを、もう三〇年以上も続けています。それぐらい粘り強い研究を続けることで、誰も行ったことのない高みに到達できるのです。

後ほどお話しするように、私自身にも何十年もかけて完成した研究がいくつかあります。博士論文で未解決だった問題を二〇年かけて解いた経験もあります。こうした研究はとりわけ達成感があり、また学界でも高く評価されます。

もちろん、そのような研究にはリスクもあります。何年もかけて研究を続けた挙句に、何の成果も得られなかったということもあります。そこで、プロの科学者の多くは、重要であるがリスクのあるプロジェクトと、短期間でそれなりの成果を確実に出せるプロジェクトを並行して進めています。

ファイナンシャル・アドバイザーに株式投資について相談すると、ひとつの銘柄に絞らず、リスクはあるが桁違いの利益が期待できる銘柄と、予測可能で手堅い銘柄を含めた、バランスの取れた投資をすることを勧められます。そうした組み合わせのことを「ポートフォリオ」と呼びます。それと同じように、研究者は自身のプロジェクトのポートフォリオについてよく戦略を練る必要があります。

しかし、このように研究戦略をきちんと立てても、基礎研究は地図を持たずに砂漠を旅するようなものなので、一日考えたけれど何もわからなかったという日の方が続きます。毎日がスランプのようなものです。スランプの日々が続いて、ある時に少し研究が進んで、その日だけはスランプではない。その日のために研究しているようなものです。しかし、基礎研究をするからには、そういうことも引き受けないといけない。長いスランプの後にブレークスルー（革新的発見）にたどり着いたという経験があればこそ、次も難しい問題に粘り強く取り組むことができるのです。

大学院で身につけるべき「問題を見つける力」、「問題を解く力」、「粘り強く考える力」の三つの力は、アカデミアの外でも役に立ちます。私は、米国ではカリフォルニア工科大学の理論物理学研究所の所長やアスペン物理学センターの総裁、日本では東大のカブリ数物連携宇宙研究機構の機構長を務めてきました。そこで様々なスタッフと働いた経験では、自ら問題を見つけそれを解決するイニシアティブを持つ人が重要な役割を果たします。また、「地図のないところに道を切り開き、誰も知らなかったことを発見し、人類の知識を押し広げた」という経験それ自身も貴重です。

そのため欧米の企業では博士号取得者に幅広い就職先があります。行政機関にも博士号を持った官僚が少なくありません。また、ドイツの内閣では、閣僚の約三分の一が博士号を持っています（二〇二一年一月現在）。これに対し日本では、大学院重点化によって博士課程の修了者が増えたにもかかわらず、それを活用する体制ができていません。日本が欧米追従の時代を終え、混迷する世界で新しい道を切り開いていくためには、企業や社会における博士の活用の仕方を考え直す必要があると思います。

何度も勉強し直した「場の量子論」

大学院でなすべきは、既存の学問の勉強ではなく、新しい知の創造であると書きました。しかし、素粒子論の研究を始めるには、私が勉強し足りないものがひとつありました。「場の量子論」です。

電場や磁場、重力場という時の「場」に、量子力学の原理を当てはめたものが「場の量子論」です。ファインマン、シュビンガー、朝永の量子電磁気学は場の量子論の最初の例でした。その後、場の量子論は物理学の様々な分野に応用されるようになり、特に素粒子論では基本的な言語として必須の知識になっています。

しかし場の量子論については数学的に厳密な定式化が完成していないので、一冊の本を最初から最後まで勉強すればマスターできるようになってはいません。そのため私は何度も勉強し直しました。

最初の挑戦は大学二年生の時で、例によって自主ゼミで勉強しました。どの本を読むべきかは、井上健さんに相談しました。井上さんは第二次世界大戦中に素粒子論で有名な仕事をされた方で、京大教養部の教授をされていて、その年に退官されるところでした。

第二次世界大戦直前の一九三七年に宇宙線の中に新粒子が発見され、湯川秀樹が予言していた中間子ではないかと思われたことがありました。これにより湯川の中間子論は世界の注目の的となります。朝永がドイツに留学する頃のことでした。朝永の「滞独日記」に湯川たちについて、「彼らははりきっているのに、こちらはドイツまで来てくさっている」とうらやましげに書いてあるのには、このような背景がありました。ところが、この新粒子の性質が湯川の予言と異なることがわかってきました。井上さんたちは発見されたのは中間子とは別の粒子であると提唱し、彼らの説は戦後のセシル・パウエルの実験で検証されました。

推薦された場の量子論の教科書は一九五一年の出版でした。井上さんは「私たちが若い頃には、この本を読んだだけで論文が書けたのだが」とおっしゃっていました。しかし私たちが読んだ頃には出版から三〇年が経過していて、すでに古いスタイルの本でした。シュビンガー流の「代数スタイル」の場の量子論をしっかり勉強できてよかったとは思います。

力学や電磁気学のような確立された分野と異なり、場の量子論は発展途上のホットな分野なので教科書もどんどん刷新されています。三年生になって学部で知り合った先輩から別の教科書を推薦されました。出版からすでに一五年経っていた本なのに、井上さんから推薦された本に比べて「なんとモダンな内容なんだ」と感心したことを覚えています。

その後も場の量子論の教科書を何冊か読みました。特に影響を受けたのは大学院一年生の時に勉強したシドニー・コールマンの講義録でした。

「遅れてきた」という引け目

大学院に入学したばかりの時、関西で素粒子論を専攻する大学院生が週末に合宿して勉強する会があり、その参考文献として配られたのがコールマンの講義録でした。宝塚の合宿施設に向かう電車の中で夢中になって読んだのを覚えています。探偵小説のようなワクワクする文章でした。

ハーバード大学教授のコールマンは、シチリア島のエリチェという村で開かれていた素粒子物理学の夏の学校で、一九六六年から七九年まで毎年のように場の量子論の最先端の話題について講義をしました。私が宝塚での合宿で読んだのはその中のひとつでした。これらの講義は後にまとめて *Aspects of Symmetry*（対称性の側面）[*56] と題した本として出版されています。

コールマンは、この本の序文で当時の雰囲気を次のように語っています。

「それは、場の量子論の歴史的な勝利の時代であり、素粒子論の研究者として最高の時代でした。栄光に包まれた場の量子論の凱旋パレードは、遠くの国々から持ち帰った素晴らしい宝物にあふれ、沿道の観客はその偉大さに息を呑み、また喜びの歓声を上げたものでした。」

そのような栄光の時代が終わってから大学院生になったので、私は場の量子論について「遅れてきた」という引け目を持っていました。そこで、それを取り返すためにも何度も勉強しました。

大学院生の教育では春夏冬の長期休暇中に開かれる「学校」が重要な役割を担います。大学院レベルの教育をひとつの大学の教授陣でカバーするのは困難なので、特定の分野の大学院生を世界中から集めて最先端の研究者による集中講義を行うものです。数週間の合宿生活なので、大学院生が講師や他大学の大学院生と親しく語り合い、学者としてのネットワークを構築する貴重な機会でもあります。

素粒子の分野では、イタリアのトリエステ市にある国際理論物理学センターの春の学校、フランスのレ・ズッシュ村の夏の学校、米国コロラド大学ボルダー校の夏の学校などが有名です。私も、インド、中国、韓国、日本の超弦理論研究者と協力して、アジア地区の冬の学校を毎年一月に開催しています。

その中でも、コールマンが場の量子論の講義をしたエリチェ村の夏の学校は、半世紀以上の歴史を持つ有名な学校です。私も、この学校の講師としてエリチェ村にご招待いただいたことがあります。

エリチェ村の学校を創設し校長をされているのは、素粒子実験が専門のアントニーノ・ジキッキさんです。その地方では何世紀も続いた名家の出身で、講師や学生は村を挙げて歓待されます。レストランのリストが渡され、そこに掲載されているお店で「ジキッキ先生の学校に来ている」と言うと、おいしい料理とワインを無料でいただくことができました。

ジキッキさんにはいろいろな逸話があります。中でも盗まれたレンタカーの話は有名です。米国から来た大学院生が、夏の学校の後でシチリア島をめぐろうとレンタカーをして、宿舎の前に駐めていました。ところがある晩、その車が盗まれてしまいます。そこでジキッキさんのところに相談に行くと、開口一番、「それは何かの間違いに違いない」とおっしゃいます。翌朝、宿舎の前には盗まれた車が戻っていて、しかもピカピカに磨かれ、ガソリンも満タンだったそうです。

「ハリネズミ」と「キツネ」に学ぶ

大学院一年生の時に、場の量子論について二人の先生から全くスタイルの異なる講義を受けるというありがたい機会がありました。

ひとりは京都生まれで京大理学部の助教授だった九後《くご》汰一郎さんです。場の量子論の基礎について重要な発見をされ、一九八〇年に若干三一歳で仁科記念賞を受賞されて話題になっていました。私が大学院に入ったのは一九八四年ですから、まさに新進気鋭のスターで、素粒子論を目指す学生たちのあこがれでした。

もうひとりは東大出身で基礎物理学研究所の助教授だった福来《ふくぎた》正孝さん。こちらもスーパーコンピュータを使った場の量子論の大規模数値シミュレーションの業績で後に仁科記念賞を受賞されています。

場の量子論という同じテーマでも、二人の講義はまったく異なりました。九後さんがひとつの理論の形式を磨き上げるスタイルであるのに対して、福来さんは体力勝負で既存の理論を使ってできるだけ多くの物理現象を説明しようとします。

「キツネは多くのことを知っているが、ハリネズミは大切なことをひとつ知っている。」

これは、ギリシアの詩人アルキロコスの言葉とされるもので、英国の哲学者イザイア・ベルリンが紹介したことで広く知られるようになりました。ベルリンは、アリストテレス、シェイクスピア、ゲーテをキツネ型、プラトン、ダンテ、ヘーゲルをハリネズミ型に分類し、トルストイは「ハリネズミになりたかったキツネ」だったとしています。顔ぶれを見ればわかるように、どちらが偉いという話ではありません。

物理学の研究でも、キツネもハリネズミもそれぞれに重要です。私はハリネズミ型の九後さんとキツネ型の福来さんの両方から場の量子論を学ぶことができ、素粒子物理学という学問の深さと幅広さを実感しました。ファインマンが実践していたように、自然現象を理解する方法はひとつではありません。

「大栗君は曲がったことが大好き」

もうひとりこの時代にお世話になったのは、基礎物理学研究所の助教授だった稲見武夫さんでした。当時の基礎物理学研究所は素粒子論に関しては東大の「出島」のような状態で、福来さんと同じく稲見さんも東大のご出身でした。

稲見さんは誠実な人柄で、学生の指導にも熱心でした。私の最初の三本の論文は稲見さんとの共著で、その時には論文の書き方から丁寧に教わりました。今も、「そういえば稲見さんはこうおっしゃっていたな」と思い出しながら、学生に論文の書き方を教えることがあります。

稲見さんは社交家で、国際的な場での研究者の作法についても見本を示してくださいました。国際会議の目的は講演をしたり聞いたりすることだけではありません。コーヒーブレークや夕食会、現地での観光などのインフォーマルな場での交流も大切です。そのような機会に研究を進めるヒントが得られたり、新しい研究の方向が見つかったりすることがあります。稲見さんに実践的に教えていただいたことは、その後に研究者のネットワークを作っていく上で、とても役に立ちました。

稲見さんは大学院に入ったばかりの私たちを研究の最先端に手引きしてくださいました。一緒に読んでくださったビレルとデイビスの *Quantum Fields in Curved Space*（曲がった空間の量子場)[*57]は、私が大学院に入学する二カ月前に出版されたばかりの本でした。アインシュタインの一般相対性理論では、重力は時間や空間の曲がりとして表現されます。そのような「曲がった時空」での場の量子論の現象を理解しようというのがこの本のテーマでした。

当時は素粒子論の研究者で重力のことを考えている人はあまりいませんでした。素粒子実験では重力の影響は無視できるほど小さいからです。しかし、私は稲見さんのご指導で「曲がった空間の量子場」の勉強をして、次第に重力に興味が湧いてきました。

素粒子論の究極の目的は、自然界のすべての素粒子とその間に働く力を一組の原理で説明できる「統一理論」の完成です。そのような理論には、当然、重力も含まれていなければなりません。ビレルとデイビスの教科書では、重力理論と場の量子論を組み合わせて統一理論を作るために考えなければいけない様々な問題が議論されていました。まだわかっていないことがたくさんある。小学生の時にブルーバックスの『はたして空間は曲がっているか』を読んだ時の興奮も思い出しました。素粒子論研究室にいるのに重力の話ばかりしているので、「大栗君は曲がったことが大好きだから」と言われたこともあります。

しかしビレルとデイビスの教科書での重力の扱いは不完全なものでした。重力の影響による曲がった時空の中で、素粒子や電磁場の量子力学をどのように考えるべきかは、丁寧に議論されています。しかし、この本では重力自身には量子力学の原理が当てはめられていませんでした。このような不徹底なアプローチでは、突き詰めていくと矛盾が生じてしまいます。

　この矛盾を解くには重力と量子力学を統合する理論が必要です。私が大学院に入学した頃には、すでに「超弦理論」がそのような統一理論の候補として知られていました。しかし、これから説明する事情で、あまり注目されていませんでした。

　素粒子論では、物質の基本単位である電子やクォークなどの素粒子を、長さも面積も持たない数学的な「点」であるとみなしています。それに対し超弦理論では、基本単位が「ひも」のように一次元方向に伸びていると考えます。超弦理論の初期のバージョンは、一九六〇年代に南部陽一郎などによって考えられていました。そして一九七四年に、この理論に重力が含まれていることが見つかりました。超弦理論は量子力学の原理にしたがう理論なので、超弦理論は重力と量子力学を統一できたことになります。

　そこで超弦理論は注目を集め世界中の研究者が飛びつくかと思いきや、科学の歴史はそうは進みませんでした。

　コールマンがエリチェ村での講義録に書いていたように、一九七〇年代は場の量子論の「歴史的な勝利の時代」でした。素粒子実験で発見された現象が場の量子論によって次々に説明され、「栄光に包まれた場の量子論の凱旋パレード」が繰り広げられていたのです。一方、超弦理論は重力こそうまく取り込んではいたものの、素粒子の理論としては不完全でした。たとえば電子の基本的な性質すら説明できませんでした。

そのため一九七四年の発見から一〇年間は場の量子論が素粒子論の主流で、超弦理論は「冬の時代」でした。それが、私が一九八四年に大学院に入学した時の状況でした。

幸運の女神の前髪をつかむ

その年の夏、私は革命の噂を聞きました。米国コロラド州の山の中の研究所で大発見があった。一〇年間懸案だった「超弦理論は電子の基本的な性質すら説明できない」という問題が解決されたというのです。

発見をしたのは、カリフォルニア工科大学のジョン・シュワルツと当時ロンドン大学にいたマイケル・グリーンでした。超弦理論の研究者が片手で数えるぐらいしかいなかった一〇年の間、二人はコツコツと研究を進めていました。そして彼らの努力が花開いたのが一九八四年だったのです。

しかし、一〇年間見向きもされなかった理論なので、私の周りにも詳しい人はあまりいませんでした。また最新の論文を手に入れるのにも時間がかかりました。今では論文の電子アーカイブがあり新着論文が全世界同時に読めます。しかし、当時は査読雑誌に掲載される前のいわゆるプレプリントは郵便でやり取りされていました。欧米の研究機関からは日本には船便でプレプリントが送られてきていたので、届くのに三カ月以上かかることも珍しくありませんでした。日本の大学院生にとっては、革命的な発見に追いつくのには不利な状況だったのです。

「幸運の女神には前髪しかない」という言葉があります。向こうから幸運が近づいてきたら前髪をつかまなければいけない。迷っているうちに女神が通り過ぎてしまったら、後ろからはつかめない、という意味です。

先ほど「大学院でつけるべき三つの力」のところで、「時には懐手をしていないで、思い切って問題に飛び込む勇気も必要です」と書きました。一九八四年の夏はまさにそのような時でした。超弦理論を研究する準備などできていなかった。それどころか何から勉強を始めたらよいかもわからなかった。しかも日本にいるとあまり情報が伝わってこない。しかし、ここで飛び込まないと幸運の女神の前髪はつかめないと思ったのです。

シュワルツとグリーンの論文に続いて、その年の秋にはエドワード・ウィッテンらによる論文が届きました。

私たちの住んでいるこの空間は三次元です。三次元とは縦・横・高さの三方向に進むことができるという意味です。これに対し、超弦理論は空間が九次元であると予言します。これは私たちの空間が三次元であるという経験とは異なります。しかし、余計な六つの方向への進み方が制限できれば問題ありません。ウィッテンらは、「カラビ－ヤウ空間」という数学概念を使うと、九次元の超弦理論から私たちの三次元の空間が説明できることを示しました。それだけではありません。超弦理論から素粒子の理論がどのようにして導き出されるかについても筋道をつけました。

一九七〇年代には電子やクォークの世界のことがよくわかってきました。たとえば後にノーベル物理学賞の授賞対象となる小林－益川理論では、クォークが六種類以上あると予言され、私が大学院生になる頃にはそのうち五種類が見つかっていました。ウィッテンらは、超弦理論が正しければ、「クォークが何種類あるかは、カラビ－ヤウ空間の幾何学的な性質で決まる」ことを明らかにしたのです。

私はこの論文に心を奪われてしまいました。小学校の時に中日ビルの展望レストランから三角形の性質を使って地球の大きさを測って以来、私は幾何の力で自然を理解することに強い興味を持っていました。時空間の曲がり方で重力を説明する一般相対性理論にひかれたのもそのためです。素粒子の性質でさえカラビ－ヤウ空間の幾何で決まっていると言われたら、理解しないわけにはいきません。

しかし、当時の私は場の量子論も勉強の途中で、素粒子の理論についても知らないことがたくさんありました。その上にカラビ－ヤウ空間などという数学の最先端の話題も登場するので、論文を読みながら必要になった分野を即席で勉強するという自転車操業でした。それでも毎日熱心に読み込んでいると、その論文を紹介する役目が私に回ってきました。基礎物理学研究所で毎冬開かれていた素粒子の研究会で、「大栗が勉強しているようだから、説明させてみよう」ということになったのです。

研究会では発表の時間を三〇分いただきました。しかし、話したいことが多すぎて二時間経っても終わらず、ついには警備員が現れて会議室の暖房を切られてしまいました。幸い所長のご厚意で暖房のある所長室を使わせていただけることになり、二〇人ほどで深夜まで議論を続けたことを覚えています。

一〇年間無視されていた分野だったので教科書などもなく、勉強するのは簡単ではありませんでした。その一方で、片手で数えられるくらいの人たちしか研究してこなかったので、大学院に入ったばかりの研究者の卵にもできることはたくさんありました。

まずは九後さんのご指導で、超弦理論に場の量子論の形式を当てはめる研究をしました。九後さんは理論の形式を磨き上げて明確な形にすることに長けていらしたので、筋のよい研究になったと思います。論文のカギとなるアイデアを得た時には、研究室からの帰り道に星空を見上げながら、「この答えを知っているのは世界に自分しかいない」という感動を味わったこともあります。スタンフォード大学やカリフォルニア工科大学のグループの最新の研究とも競合する成果が得られ、世界の最先端まで追いついた手応えを得ることができました。

米国留学か東大の助手か

ふつうは、二年間の修士課程を終えたら、そのまま同じ大学院の博士課程に進みます。しかし私は、京大の大学院で二年を過ごした後、東大の素粒子論研究室の助手に就職しました。京大から東大に移った理由は研究スタイルの違いでした。

当時の東大の先生方には、日本を代表する大学のメンバーだというプライドがあったように思います。そのため、世界の最先端で進んでいる研究についてきちんと目配りをされていました。日本のエリートとして、「欧米に追いつき追い越せ」という明治維新以来のスタイルが受け継がれていたのです。

一方、京大の先生方には、湯川秀樹や朝永振一郎を生み出したという成功体験があります。湯川自身の研究スタイルの影響もあり、自分たちは世界のどこにもないクリエイティブな研究をするんだという意気込みがありました。海外の研究を追いかけるのは東大の先生に任せておけばいい、というわけです。

これは、どちらがよいというものではありません。東大スタイルでは、流行りの研究を後追いするばかりで、いつまでも最先端に追いつけないおそれがあります。京大スタイルは、湯川や朝永のような天才でなければ、自己満足におちいり、研究がガラパゴス化しやすい面があります。

大学院でその両方のスタイルに触れることができたのは幸運なことでした。九後さんをリーダーとする理学部の素粒子論研究室は当然ながら京大スタイルなのに対して、基礎物理学研究所には東大出身の稲見さんや福来さんがいらしたからです。ハリネズミ型の九後さんは「大切なことをひとつ知っている」、キツネ型の福来さんは「多くのことを知っている」と書きました。これは、それぞれ当時の京大と東大の研究スタイルでもありました。

大学院二年目の秋に、当時は東大の助教授だった江口徹さんが京大に数週間にわたって滞在されました。その数年前までシカゴ大学の助教授だった江口さんは、帰国後、東大で大学院生だった川合光さんと発表した研究で仁科記念賞を受賞されたばかりでした。京大には九後さん、東大には江口さんと、それぞれに三〇代の若きリーダーがいたのです。

私は、江口さんの現代数学を応用した強力な理論手法に感銘を受けました。稲見さんに紹介していただき、江口さんに自分の研究成果についてお話しする機会を得られたのもありがたいことでした。

当時、超弦理論は革命的な発見が起きたことで激しい競争が始まっていました。世界中で日進月歩の研究が進んでいたので、のんびりしていると取り残されてしまいます。そのため私は、海外の研究など追いかけなくてもよいという京大のスタイルに疑問を感じるようになりました。

稲見さんに相談したところ、「米国の大学院を受けてみたら」とのアドバイスを受けました。

そこでハーバードやプリンストンの大学院の先生に問い合わせたところ、よい返事をいただきました。しかし迷いもありました。せっかく京大の大学院に二年間在学して論文も書いていたのに、ここで米国に行くと一年生からやり直しになるからです。

迷いつつも米国行きを決めかけたところで、思わぬことが起きました。東大の西島和彦さんの講座の助手が退職されてポストが空き、私に声がかかったのです。江口さんが西島さんに「京大に大栗という面白い奴がいるから、採用してみたらどうか」と薦めてくださったと聞きました。ありがたいことです。

東京に行く前には、東大の先生方から「博士号は論文さえ書けば東大からでも出せるけれど、修士号は在学していないと取れないから、ちゃんと京都で取ってから来なさいね」と言われました。どうやら、私は京大の先生方とケンカをして京都にいられなくなったのではないかと思われていたようです。米国留学を画策していたのもそのためではないか。純粋に研究上の興味から環境を変えてみたかっただけなので、この機会に誤解を解いておきたいと思います。

米国留学か東大の助手か迷った末に、私は米国留学をあきらめて東大に行くことを選びました。人生は一回しかないので、それが正しかったかどうかはわかりません。もっと早く海外に出れば、それはそれでよいこともあったでしょう。しかし超弦理論が急速に発展している時期だったことを考えると、大学院一年生からやり直すより、助手という職に就くことでプロフェッショナルな研究者としての意識を持つことができたのはよかったと思っています。当時の国立大学の助手は国家公務員で、定年まで任期なしで安心して長期的な視野で研究に取り組むことができました。

電子メール導入直前のテレックス

東大の助手になった時には、私はまだ博士号を持っていませんでした。私より年上の学生もいたので「やりにくいかもしれませんね」と心配してくださった方もいました。しかし空気が読めないタイプだからか、私自身は気になりませんでした。

東大に呼んでくださった江口さんとは実りの多い共同研究ができました。ただし、私が着任した年の秋に、江口さんがパリのエコール・ノルマル・シュペリウールに客員教授として長期出張されたので、連絡は楽ではありませんでした。電子メールなどはなかったので、ファックスやテレックスなどを使って連絡を取り合っていました。今の若い人はテレックスなど見たことはないでしょうから、ひとつご覧にいれましょう（図10）。これは一九八六年一〇月一五日に私がパリの江口さんに送ったテレックスです。内容を和訳します。

「フェイの公式とその一般化は2N点のフェルミオン振幅が（Nの湧き出しとNの吸い込みを持つ）ゲージ場の背景での真空振幅と同じであることを含意します。それからボゾン化則が導

PROF. T. EGUCHI
LABORATOIRE DE PHYSIQUE THEORIQUE
ECOLE NORMALE SUPERIEURE
24 RUE LHOMOND
75231 PARIS
CEDEX 5, FRANCE

FAY'S FORMULA AND GENERALIZATIONS MEAN 2N POINT FERMION AMP IS
VACUUM AMP WITH BG GAUGE FIELD (N SOURCES AND N SINKS).
BOSONIZATION RULE IS DERIVED FROM IT. W-ID IS ITS COROLLARY.
BITNET WILL BE AVAILABLE IN A WEEK.
H. OOGURI

[図10]パリに送ったテレックス

かれます。ワード恒等式はその系である。ビットネットは一週間後に使えるようになります。」

学問的な話はともかく、ここには歴史的に興味のある事実が記されています。最後に書かれている「ビットネット」とは、電子メールなどを送れるコンピュータ・ネットワークのことです。八〇年代に米国を中心に大学間でも使われるようになりました。それが「一週間後に使えるようになる」と書いてあるので、東大が電子メールを導入した週が特定できるわけです。

ただし当時のビットネットは現在の電子メールのように気楽に使えるものではありませんでした。送ったメールはインターネットの起源となった米国国防総省のアーパネットが運んでくれます。あちこちのノードを経由するので、光速で一瞬のうちに届くわけではありません。「今はこのノードまで届いてるな」と見えるあたりは、アマゾンからの宅配便を思わせました。そもそも自分のパソコンから送ることもできませんでした。東大の大型計算機センターでしか受送信できません。宅配便は自宅まで集配に来てくれますから、ある意味ではそれよりも不便でした。

初の海外出張の宿は韓国大統領の別荘

江口さんがパリに出張している間には、大学院生の石橋延幸さん（現筑波大学教授）と松尾泰さん（現東大教授）とも論文を書きました。江口さんとの共同研究に加えて、こちらも高い評価を受けられたと思います。

それらの成果のおかげで、翌一九八七年の春には初めて海外出張をする機会をいただきました。韓国科学技術院（ＫＡＩＳＴ）に客員教授として招聘され、研究成果について連続講義を行ったのです。

ＫＡＩＳＴは、朴正熙大統領の時代に、高度な科学技術の人材を育成するだけでなく、その優秀な頭脳が海外に流出するのを防ぐことを目的に設立されました。そのため所属する学生はエリートで、給料が支給され、徴兵免除という特権が与えられていました。

ＫＡＩＳＴのキャンパスの隣には韓国軍の施設がありました。その敷地の奥に深い森があり、その中にかつて大統領の別荘だったお屋敷があります。私はそこのゲストルームに一カ月間泊めていただき、毎日、軍の施設を通ってＫＡＩＳＴに通いました。

そこに宿泊していたのは私だけではありません。お屋敷の二階には大統領のベッドルームがあり、ロンドン大学の著名な結晶学者アラン・マッカイさんが宿泊していました。当時、通常の結晶と異なる新しい固体状態で後にノーベル化学賞の授賞対象となる「準結晶」が発見され、大きな話題になっていました。マッカイさんは、その数年前に準結晶の存在を理論的に予言していたのです。

宿舎では毎朝、韓国軍の兵士と思われる白い制服姿のボーイさんがマッカイさんと私の二人のために朝食を用意し、帽子をかぶりネクタイを着用した運転手がピカピカに磨かれた公用車でKAISTまで送迎してくれました。週末にはお屋敷の広大な裏庭にテーブルと椅子を並べ、パラソルを広げて、お茶とケーキを楽しむ時間もありました。何とも贅沢な経験でした。

マッカイさんとは、お互いの専門分野である素粒子論や結晶学のことをはじめとして、いろいろな話をしました。マッカイさんは中国史にも造詣が深く、ジョセフ・ニーダムの名前を教えていただいたので、東京に帰ってからニーダムの『中国の科学と文明』[*58]を購入して読みました。その時に英国人の「アマチュア精神」というものを初めて観察しました。

マッカイさんと話をしていると、趣味で研究していたのにたまたま職業になってしまったという印象を受けます。英国の科学に見られるアマチュア精神の伝統は、科学が貴族の趣味として発展した面があるからかもしれません。たとえば、水素の発見で有名なヘンリー・キャベンディッシュは、巨額の遺産をもとに自宅に実験室を作って研究していました。

日本人には、ひとつの分野を突き詰めることを尊重する職人気質のようなものがあります。しかしマッカイさんのように肩の力の抜けた研究の仕方にもよい面があります。アマチュアの趣味ならば自分の分野にこだわる理由もない。知らない分野に行って失敗しても素人なので困らない。そのため分野の垣根を越えた研究がしやすいのです。趣味として研究しているので独創性の高い研究が生まれることも多いように思います。

インドで失踪

春に韓国を訪れた後、同じ年の一二月にはインドを訪問する機会も得ました。インド工科大学カンプール校で大学院生向けに開かれた冬の学校に講師として招待されたのです。インド工科大学機構の二三校の中でもカンプール校は最高峰で、私の知っている物理学者の多くはここの出身です。

カンプールに行く前に、ボンベイ（現在のムンバイ）にあるタタ基礎研究所を訪問しました。そこで理論物理学部門を率いていたスペンタ・ワディアさんが呼んでくださったからです。ワディアさんは、会うとすぐに、「夕飯を食べに行こう」と私をスクーターの後部座席に乗せました。リクシャーと呼ばれる三輪タクシーや自動車、自転車、人、牛などが入り乱れるボンベイの街を走る間、生きた心地がしませんでした。

ワディアさんには滞在中にちょっとご迷惑もおかけしました。

カンプールでの仕事を終えた私は、すぐに日本に帰って年末年始は岐阜の実家に帰省する予定でした。しかしセシャドリという有名な数学者に会えるというので、予定を変更して帰国を遅らせ、ベンガル湾に面したマドラス（現在のチェンナイ）に向かいました。ちょうど、私が興味を持っていた超弦理論の問題にセシャドリの数学が使えそうだったので、論文を読んでわからなかったことを聞いてみようと思ったのです。

また、インドに行く前に古代インドの神話的叙事詩『マハーバーラタ』[*59]を読んでいて、マドラスの近くのマハーバリプラムにその叙事詩に因んだ遺跡があると聞いたので、見に行ってみたいとも思いました。

そこで両親には「マドラスに寄るので帰国が遅れます」と絵葉書に書いて送りました。

しかしインドから日本に送った絵葉書がすぐに届くはずもありません。正月を迎えても何の連絡もないので、日本では「インドで失踪したのではないか」と大騒ぎになってしまったようです。心配した私の親が東大の江口さんに相談したところ、「ここに電報を打ってください」とワディアさんの連絡先を伝えてくださいました。その電報にワディアさんから「元気にしてるから安心するように」という返信があって、ようやく親もホッと胸を撫で下ろしたという次第です。そんなこととはつゆ知らずにのこのこと帰国すると、江口さんから「親に心配かけるんじゃない」と大目玉を食らいました。私の母は、その時ワディアさんから届いた電報を今でも大切に持っています。

そんなこともあってワディアさんとはすっかり仲良くなりました。アジア地区の若手の育成でも協力しています。二〇〇六年からは、日本、インド、中国、韓国の四ヵ国の持ち回りで毎冬に超弦理論に関する「アジア冬の学校」を開催するようになりました。この冬の学校には一〇〇名程度の大学院生や若手研究者が参加し、超弦理論の最先端についての講義とともに、ネットワークの機会を提供しています。この学校が始まった頃に学生として参加していた人が研究者として成功し、講師となって戻ってきているのを見るのも嬉しいものです。

幸運は準備された心に微笑む

一九八七年は様々な意味で思い出深い年でした。その年の二月には東大を定年退官される小柴昌俊さんの最終講義が予定されていました。そのわずか四日前に大マゼラン星雲で超新星爆発が起き、そこから放出されたニュートリノが小柴さんが心血を注がれたカミオカンデで検出されました。大マゼラン星雲は地球から一七万光年離れていますから、正確に書くと、一七万年前に起きた超新星爆発からニュートリノが光速で飛んできて、最終講義の四日前に地球に届いたのです。

米国の研究者から小柴さんのグループに連絡があり、超新星爆発からの光が観測されたことはわかっていました。はたしてカミオカンデでニュートリノが検出されていたのか。それを確認するために、データが記録された磁気テープが神岡鉱山のカミオカンデから宅配便で送り出され、東大の本郷キャンパスに届いたのはまさに小柴先生が最終講義を行う日でした。

カミオカンデは、もともとはニュートリノ検出のための施設ではなく、陽子崩壊という現象の観測が目的でした。素粒子の間に働く電磁気力、強い力、弱い力という三つの力を統一する理論があり、その予言が正しければカミオカンデの大きな純水タンクの中の陽子が崩壊する様子が検出できるはずでした。稀にしか起きない現象なので、大きなタンクが必要なのです。

しかし一九八四年までに陽子崩壊は観測されず、その理論は棄却されてしまいました。

では、どうするか。陽子崩壊の実験は終わったとはいえ、せっかく建設したカミオカンデを何かに使わない手はありません。そこで小柴さんは発想を大胆に切り替えました。陽子崩壊を観測するための装置を、宇宙からやって来るニュートリノの検出に使うことにしたのです。

改造後のターゲットは太陽から来るニュートリノでした。太陽は内部で起こる核融合反応によってニュートリノを放出します。しかし地球に届くニュートリノの量が理論値と食い違っていました。その謎を解明するために、小柴さんはカミオカンデの改造に着手したのです。その時には、超新星爆発からのニュートリノの検出は期待していませんでした。ただし、実験の中請書には、「超新星が爆発した場合にはニュートリノを検出できる可能性がある」と一言書き添えてあったそうです。

カミオカンデの改造工事には二年以上かかりました。神岡鉱山の中は放射性物質であるラドンの濃度が高いので、巨大タンクの中の水やその周りの空気からラドンを取り除かないと観測の邪魔になるノイズが発生するのです。その作業がようやく終わりニュートリノ検出の態勢が整った時には、小柴さんご自身の退官が間近になっていました。そして最終講義を行う数日前に、あの超新星ニュートリノが届いたのです。

最終講義では超新星ニュートリノの話はなさいませんでしたが、カミオカンデの実験計画を立ち上げた時の話をしながら感涙されていたことを覚えています。一週間後には論文が投稿され、その次の月曜日に東大で記者会見がありました。この発見によりニュートリノ天文学という新しい学問分野が切り開かれました。そして、小柴さんは二〇〇二年にこの業績に対しノーベル物理学賞を受賞されます。

「幸運の女神の前髪をつかむ」の節で、幸運は迷わずつかまなければいけないという話をしました。小柴さんのエピソードは、そうした幸運はただ待っているだけではいけないことを教えています。たしかにあのタイミングで超新星爆発が起きたのは幸運でした。しかし、それをつかむことができたのは、陽子崩壊の理論を棄却した後、直ちにカミオカンデをニュートリノを

［図11］**小柴昌俊（1926–2020）**

検出するための装置に改造していたからでした。

「チャンスさえもらえれば頑張ります」というのでは、実際にチャンスが来た時にそれを生かすことはできません。人生の中では誰にでもチャンスがめぐってきます。しかし準備ができていなければその前髪はつかめません。ルイ・パスツールが「幸運は準備された心に微笑む」と語っているのはそのことだと思います。

小柴さんの超新星ニュートリノ検出の成功を目撃して、研究者にとっては運も実力のうちだとつくづく思いました。

私が学生の頃は、科学分野のノーベル賞受賞者と言えば、紙と鉛筆の理論物理学者である湯川と朝永のほかには江崎玲於奈がいるだけでした。江崎は実験物理学者ですが、東京通信工業（現在のソニー）の研究室で行った小規模な実験の成果が授賞対象でした。そのため、巨額の国費で建設された巨大実験施設カミオカンデの成果に対し小柴さんがノーベル賞を受賞されるというニュースを聞いた時には、「国が豊かになるとはこういうことか」と感動しました。

私が一九八〇年代の後半に渡米した時には、まだ日本は欧米が築き上げた科学技術にただ乗りをしているという批判がありました。そのような声が聞かれなくなったのは、日本が基礎科学の進歩に大きく貢献していることが世界に広く認められるようになったからだと思います。

また、日本人の理系ノーベル賞といえば物理学賞ばかりだったのが、今や化学や医学・生理学など幅広い分野でも受賞するようになりました。私の小学生時代は湯川や朝永がヒーローでした。それが今では様々な分野にロールモデルがいる。これは科学を目指す若い世代にとって素晴らしいことだと思います。

科学は数千年の歴史の中で積み上げられてきた人類の共有財産です。二一世紀になってからの数々のノーベル賞受賞は、日本が科学の幅広い分野に大きく貢献していることを示しています。戦後の日本社会は科学の育成については正しい選択をしてきたのだと思います。しかし近年、日本の科学について危機感が高まっています。科学における日本の地位を保ち、さらに強化していくにはどうしたらよいかについては、本書の第四部で考えます。

この原稿の推敲中に、小柴さんがお亡くなりになったという悲しい知らせを受け取りました。ご冥福をお祈りします。

インドで後方宙返り

当時、東大理学部の素粒子論研究室には、二年間務めた助手は修行のために一年間海外出張ができるというありがたいしきたりがありました。そこで江口さんとも相談して、プリンストンの高等研究所の研究員とハーバード大学のジュニア・フェローに応募することにしました。

高等研究所は、超弦理論の世界的リーダーであるウィッテンさんが数年前に移籍して以来、その分野の中心地になっていました。しかし、私は大学院を修士課程修了で卒業し、まだ博士号を持っていなかったので、ポスドク（博士号を取得した任期付き研究員）への応募資格があるのかどうか微妙でした。そこでウィッテンさんに正直に問い合わせたところ、「そのようなオファーができるだろう」とのことでした。

一方、ジュニア・フェローは、ハーバード大学全体で毎年数名しか選ばれない名誉あるフェローシップです。ハーバード大学の構内にフェローたちのための立派なお屋敷があり、毎週金曜日に晩餐会が開かれます。ワインのコレクションも有名でした。こちらも、博士号取得予定なら、着任時に博士号を持っていなくてもよいことになっていました。

しばらくして、私が東京で住んでいたアパートにハーバード大学から電話がかかってきました。先ほどお話ししたインドの冬の学校に出発する前夜のことで、午前二時に起こされました。電話に出るとジュニア・フェローの選考委員長で、いきなり、

「あなたはジュニア・フェローの最終候補に選ばれたので、面接のためにハーバードに来てもらいたい。ついては、来週のボストン行き飛行機を予約するので、それに乗ってください。」とおっしゃいます。

急にそんなことを言われても、翌日からインドに出張するので、その飛行機には乗れません。インドでの講義をドタキャンすべきか、一瞬だけ迷いました。しかし、さすがにそれはできないので丁重にお断りしました。選考委員長の教授は、まさかハーバード大学の最も名誉あるフェローシップの面接をその場で断られるとは思っていなかったらしく、電話口で驚きを隠せないようでした。

そうなると私の方も不安になります。ウィッテンさんに問い合わせた時は「一二月に正式な連絡をする」とご返事がありました。しかし、もし高等研究所から正式なオファーが来なかったら、せっかくのチャンスを無駄にすることになります。

心配になった私は、冬の学校が開催されていたカンプールから東大の秘書さんに国際電話をかけました。何か連絡は来ていないかと聞くと、「机の上にプリンストンからの手紙が置いてあります」と言われました。「開封してください」とお願いしてしばし待っていると、「オファー・レターでした」との返事がありました。

受話器を置いた私は、喜びのあまり建物の外に飛び出し、芝生の上で後方宙返りをしました。

それを見ていた研究者仲間の間では語り草で、いまだに「あの時はすごかった」などと言われます。ちなみに、それ以前に後方宙返りをした記憶はありませんし、もちろん今は、できるとは思えません。あの時だけは、なぜかできたのです。

プリンストンの高等研究所へ

翌一九八八年の八月末、私はプリンストンに向かいました。米国の研究所に行くのは初めてでした。ニューヨークのケネディ国際空港に到着し、地下鉄でマンハッタンへ。そこでアムトラックに乗り換えてプリンストン・ジャンクションという駅で降り、そこから出ている一駅だけの盲腸線「ディンキー」に乗って、ようやくプリンストンの駅にたどり着きました。

駅でうろうろしているとプリンストン大学の新入生だと思われたようで、駅員のおばさんが声をかけてくれました。おばさんは別の新入生の親子が駐車場に向かうのを見つけて、「この子も乗せてってあげてよ」と頼んでくれました。

お父さんに行き先を聞かれたので「高等研究所です。オルデン・レーンという通りにあるそうですが」と答えると、「それなら知ってるよ」とおっしゃいます。しかし、行ってみるとそれらしき建物はありません。道の標識をよく見ると、そこは「オルデン・レーン」ではなく「オルデン・ストリート」でした。近くを歩いていた人に聞くと、オルデン・レーンはゴルフ場の反対側とのことでした。そこまで送ってくださることになったのですが、かなり距離があるので申し訳ない気持ちでした。

ゴルフ場の外に広がる高級住宅街を進んで行くと、目の前に広大な芝生が現れました。そして、そのはるか向こうに鳥が翼を広げたようなコロニアル様式の建物が見えます。高等研究所本館のフルド・ホールです（図12）。お父さんにお礼を言うと、「私はプリンストン大学の卒業生だけど、ここに来たのは初めてだ。いいものを見せてもらって、ありがとう」と言って去っていきました。

行ってみると高等研究所は九月の後半まで夏休みでした。もう少し遅くに行ってもよかったのかもしれません。しかし、おかげで最初の二週間ほどはのんびり過ごすことができました。

研究員の宿舎棟は研究所に隣接していて、周りを芝生で囲まれています。最初に驚いたのはホタルがたくさんいることでした。夕方になると芝生のあちこちから光の玉が浮かび上がります。中学生の時に読んだレイ・ブラッドベリ

［図12］高等研究所のフルド・ホール（©Amy Ramsey, Institute for Advanced Study）

の小説『たんぽぽのお酒』[*60]を思い起こさせる情景でした。ホタルといえば、日本ではきれいな水の流れる川にいるものです。実はそれは珍しい種類で、世界に二〇〇〇種ぐらい存在するホタルのほとんどは陸生なのだそうです。プリンストンのホタルは光の強い種類で、ヒトダマかと思いました。

プリンストンの虫といえば、一七年ごとに大発生する「素数ゼミ」も有名です。素数はその数自身と一でしか割り切れない自然数なので、ほかの生物の繁殖とタイミングがずれ、競合や捕食のリスクが減って、子孫を残すのに有利なのだと言われています。私がプリンストンに行く前の年に大発生していたので、まだ話題になっていました。ちなみに、その前に大発生したのは一九七〇年でした。その年にプリンストン大学から名誉学位を受けたボブ・ディランは、学位授与式の時にセミの鳴き声がした様子をDay of the Locusts（せみの鳴く日）という歌にしています。

博士号のない研究者たちがうろうろ

ウィッテンさんに問い合わせた時に問題なさそうだったとはいえ、博士号のないまま高等研究所に来てしまったことが少し気になりました。そこで、研究所の秘書さんとお喋りをしていた時に、「実はまだ博士号を持ってないんですよ」と打ち明けました。すると、あっけらかんとこう言います。

「あら、そうだったの。でも、ダイソン教授も博士号を持ってないからいいんじゃないの。」

ダイソンさんは大学院在学中にコーネル大学の教授になり、その数カ月後に高等研究所に移籍されて、そのまま博士号を取得されることはなかったのです。それで博士号のことは気にしないことにしました。高等研究所での正式な職名は「リサーチ・アソシエイト」で、「ポスドク」ではないので学歴詐称にもなりません。

とはいえ、そろそろ博士論文を書かないといけないという気持ちもありました。ダイソンさんほどの大物ならともかく、いつまでも博士号なしというわけにもいきません。そこでプリンストンに来る前に発表していた江口さんたちとの論文をさらに発展させることにしました。超弦理論が予言する粒子の質量の式に関する研究です。数式処理のできるコンピュータがフルド・ホールの屋根裏部屋にしかなかったので、毎日そこに通って計算をしました。この博士論文の成り行きについては、後ほどお話しすることにしましょう。

ところで、その時に博士号を持っていなかったのは、ダイソンさんと私だけではありません。同じオフィスになったミハイル・ベルシャドスキーさんもそうでした。ベルシャドスキーさんはソビエト連邦出身のユダヤ人で、本書第一部でお話ししたランダウの「理論ミニマム」にも合格し、研究者としてすでによく知られていました。プリンストンで会った時には、米国に亡命した直後でした。

ソビエト連邦では、海外への移住を希望して認められなかったユダヤ人はリフューズニク（断られた者たち）と呼ばれ、様々な迫害を受けていました。そのためベルシャドスキーさんもよい大学に行けなかったようです。しかし、冷戦の終結に向かう時代の中で、米国のレーガン大統領がモスクワを訪問した際に、米国が受け入れたい亡命希望者のリストをゴルバチョフ大統領に渡します。そのリストの中にベルシャドスキーさんの名前も入っていました。そのおかげで亡命できたと、彼はレーガンに恩を感じていました。

亡命する時にまだ博士号を取得していなかったベルシャドスキーさんは、まずマサチューセッツ工科大学にしばらく滞在します。その後、「こちらに来てくれれば一年間で博士号をあげましょう」という約束をもらってプリンストン大学に移りました。しかし、プリンストン大学には時々顔を出すだけで、高等研究所にオフィスをもらって自分の研究をしていました。そこで私と出会ったわけです。

彼とは、高等研究所で同室だった一年間に二本の論文を一緒に書きました。また、五年後には「トポロジカルな弦理論」に関する論文も一緒に書いて、これは私にとって重要な仕事になりました。これについては後ほどお話しします。

その後、ベルシャドスキーさんはハーバード大学の助教授になり、トロント大学の教授職が決まっていました。しかし本書第一部で登場したサイモンズさんの経営するヘッジファンド会社に就職してアカデミックな世界から離れ、現在はその会社の上級社員になっています。私とは全く違うライフスタイルになってしまいましたが、今でも毎年のように顔を合わせるよい友達です。

現在高等研究所の所長を務めているロバート・ダイグラーフさんも、当時はオランダの大学院生で、ウィッテンさんと共同研究をするためによく出入りしていました。そんなわけで、博士号を持っていない人たちがうろうろしている研究所だったのです。

熾烈な競争の場か、自由な楽園か

しばしばプリンストン大学の一部だと誤解されますが、高等研究所は大学とは独立な組織です。ここ数十年の間に高等研究所という名前がブランドネームになったので、世界各地に「××高等研究所」ができ、区別するために日本では「プリンストン高等研究所」と呼ばれることも多いようです。しかし、本家なので正式にはプリンストンという地名は入れません。

一九三〇年に設立された高等研究所は、ナチス・ドイツから米国に亡命したアインシュタイン、ゲーデル、フォン・ノイマンなど高名な研究者を集めて始まりました。自然科学、数学、社会科学、歴史学の四部門からなり、莫大な基金と裕福なパトロンのおかげで数多くのポスドク、客員教授、彼らをサポートするスタッフを雇用しています。

初代所長のアブラハム・フレクスナーは、医学学校を設立したかった篤志家を説得して、基礎科学や人文社会を探究する研究所を実現した見識のある人でした。一九三九年に雑誌『ハーパーズ』に寄稿したエッセイ「The Usefulness of Useless Knowledge（役に立たない知識の有益さ）でもよく知られています。この一見矛盾しているようなタイトルの意味については、本書第四部で詳しくお話ししましょう。このエッセイは、理研の初田哲男さんたちによって丁寧な解説付きで和訳されています。[*61] 現所長のダイグラーフさんの文章も掲載されており、フレクスナーの精神が今も受け継がれていることがわかります。

第二次世界大戦後、二代目の所長になったのはロバート・オッペンハイマーでした。原爆開発に成功したマンハッタン計画を主導したオッペンハイマーは、被爆国日本の復興に協力したいと考えたのか、数多くの日本人研究者を招きました。

朝永振一郎もそのひとりでした。しかし、彼の随筆には「アメリカ生活は大変有難いはずであったが、あまりに結構すぎて極楽に島流しになった感じで、ホームシックに悩む」と、楽しかったのか苦しかったのかよくわからない感想が書かれています。

南部陽一郎も「予期に反して、プリンストンでの二年は天国と地獄の混じったようなもの」と回想しています。また南部の死後公開された友人への手紙には次のように書かれています。

「若いときには、理想に燃え、野心があり、我慢ができないものです。私もそうでした。物理の大問題を解くのでなければ満足できません。それと同時に、自分に自信がなく、常に他人と比べて不安になります。私自身、高等研究所で二年間を過ごした時に、それを痛切に感じました。成し遂げたいことができなかった。誰もが私より賢く見えて、私は神経衰弱に陥ってしまいました。」

オッペンハイマーの強烈な個性のため、彼が所長だった時代には高等研究所の研究者の間に熾烈な競争があったようです。物理学者ジェレミー・バーンスタインの回想記 *The Life It Brings*（それのもたらす人生）[*62] にも、高等研究所の厳しい環境の様子がつづられています。毎週オッペンハイマーと面談して、前の週の研究成果を報告することになっていました。所員の間では、カソリックの教徒が聖職者に罪を告白して許しを請う儀式に因んで、この面談は「告解」と呼ばれていたそうです。ちなみに、この本のタイトルの「それ」というのは物理学のことで、オッペンハイマーの言葉です。

私が滞在していた時はそのような厳しさはありませんでした。例によって空気が読めなかっただけかもしれませんが、フレンドリーな環境だと感じました。研究所では毎日、午後にお茶の時間があります。紅茶と焼き立てのクッキーを楽しみながら、素粒子論だけでなく、天体物理学、数学、人文社会など、いろいろな分野の研究者と話ができました。私にとっては自由な楽園でした。

宿舎棟が研究所に隣接しているので、合宿生活のようなものでした。当時は家にインターネットもなかったので、ポスドクの多くは夕食の後でまた研究所に戻り、夜遅くまで議論をしたものです。そうした交流の中で、ベルシャドスキーさんのほかにも多くの友人を得ました。

「大学院でつけるべき三つの力」の節にも書いたように、高等研究所といえどもビックリするような天才が集まっているわけではありません。しかし物事を徹底的に考え抜く持久力の強さには感服しました。

ただし何事にも例外はあります。ウィッテンさんだけは思考の速度が違いました。彼と話をしていると、いつも自分が周回遅れで追いかけているような気分になります。

博士論文とラマヌジャンの公式の三〇年

高等研究所での研究生活があまりにも楽しいので、もう少しアメリカにいたいという気持ちになってきました。そんな私の気持ちをお見通しのようにありがたい電話をくださったのは、シカゴ大学の南部陽一郎さんでした。「シカゴ大学の助教授にならないか」というお話でした。クリスマスも近い頃のことです。

その頃には、高等研究所にもう一年滞在できることになっていました。しかしシカゴ大学の助教授というのも面白そうだと思いました。助教授になれば、高等研究所に残るよりも長くアメリカにいられそうです。そう思った私は、南部さんのお誘いを受けることにしました。

そうなると、やはり問題になるのは博士号問題です。京大から東大に移った時には東大の先生方に「修士号だけはちゃんと取ってきなさい」と言われましたが、今度は南部さんから「博士号だけはちゃんと取ってきなさい」と言われてしまいました。そこで、それまで高等研究所の屋根裏部屋で計算を続けていた研究を論文にまとめて東大に提出し、審査委員会を開いてもらいました。

博士論文では、インドの偉大な数学者ラマヌジャンの公式を超弦理論に応用しました。シュリニバーサ・ラマヌジャンは、一八八七年に生まれ、英国植民地時代のインドで事務職員として働いていました。数学者としての教育は受けていなかったのですが、夜、寝ている間に、ヒンズー教の神様が舌の上に数式を書いて数学の定理を授けると言うのです。ラマヌジャンは定理には証明をつけなければいけないということを知りませんでした。しかし独自の方法で検証していたようで、彼の発見した数々の数式には間違いはほとんどありませんでした。ラマヌジャンはそれをノートに書き留めて、ケンブリッジ大学の教授ゴッドフレイ・ハロルド・ハーディに送りました。ハーディはそれを見て「こんな数式は見たことがない」と驚愕し、同僚のジョン・エデンサー・リトルウッドと検討しました。そして、「特段の独創性と力量の持ち主に違いない」とケンブリッジ大学に招聘します。その後五年間の滞在中に、ラマヌジャンとハーディは共同で数多くの重要な発見をしました。ところが第一次世界大戦が起こって物資が不足します。菜食主義者だったラマヌジャンは栄養失調が原因で病気になり、三二歳の若さで亡くなってしまいました。

先ほど私が東大の助手の時にインドに行った話をしました。その年は、ちょうどラマヌジャンの生誕一〇〇周年にあたる記念の年だったので様々な行事が開かれていました。そのひとつに、数学者ジョージ・アンドリュースによるラマヌジャンの「失われていたノート」についての講演がありました。テレビで放送されたので、私たちも大学のラウンジで視聴しました。

ラマヌジャンは死の前年にインドに帰り、自らが見つけた不思議な関数の性質を調べて、そのノートをハーディに送りました。このノートは何人かの数学者の手に渡った後、ケンブリッジ大学トリニティカレッジの図書館に寄贈され、そのままそこで眠っていました。それをアンドリュースが発見し、「失われていたノート」と名付けて、ラマヌジャンの生誕一〇〇周年の記念に本にまとめて出版したのです。

テレビで講演を見ていた私たちは、「いつか、物理の研究に使ってみたいものだ」と冗談交じりに話したものです。高等研究所のダイソンさんも、ラマヌジャン生誕一〇〇周年を記念したエッセイに、

「私の夢は、超弦理論の予言と自然の真実を突き合わせるのに苦労している若い物理学者たちが、彼らの数学的手法の中に（ラマヌジャンの公式を）取り入れる日を見ることだ。」と書いていました。その時には、二年後に自分の博士論文でラマヌジャンの公式を使うことになるとは思っていませんでした。

私の博士論文の話に戻ります。高等研究所の屋根裏部屋のコンピュータにラマヌジャンの公式を読み込ませ、それで超弦理論の予言する粒子の質量を計算してみると、90、462、1540、……といった数字が次々と打ち出されてきました。このような計算ができたということがひとつの成果だったので、それを博士論文にしました。しかし、私は90、462、1540、……という数字に、何かもっと深い意味があるのではないかと思っていました。

それから二〇年経った夏に、コロラド州のアスペン物理学センターで夕立にあって、友人二人と雨宿りをしながら話をしていました。すると突然、この博士論文の計算した90、462、1540、……という数字の意味がわかりました。この不思議な数列は、超弦理論の対称性を表していたのです。この発見は「マチュー・ムーンシャイン」と名づけられて、現在、世界各地で盛んに研究されています。「大学院でつけるべき三つの力」のところで、「博士論文で未解決だった問題を二〇年かけて解いた経験もあります」と書いたのは、この話のことでした。

さらに一〇年後の二〇一八年の春、ケンブリッジ大学を訪問した際に、トリニティカレッジ

[図13] **ケンブリッジ大学の図書館でラマヌジャンの「失われていたノート」を見る**

左端が私。指をさしているところに、私が博士論文で使った公式が書いてあった。

の図書館でこのラマヌジャンの失われていたノートを見せていただきました。そこに私が博士論文で使った公式がラマヌジャンの直筆で記されているのを見つけた時に、三〇年かけて大きな円を描き、元の場所に戻ってきたような気がしました（図13）。

南部陽一郎さんの思い出

高等研究所での滞在を終えた一九八九年の秋、私はシカゴ大学に助教授として着任しました。

シカゴ市は米国中西部の経済や文化の中心地で、美術館や交響楽団は世界的に有名です。ニューヨークが日本なら東京、ロサンゼルスが大阪のような位置づけだとすると、シカゴは名古屋というところでしょうか。北欧系の移民が多く、質実剛健な土地柄でも知られています。

このシカゴ市の中心からミシガン湖に沿って車で一〇分ぐらい南に下ったところに、シカゴ大学があります。世界最大の製油会社を立ち上げて財を成したジョン・D・ロックフェラーが、米国中西部の中心であるシカゴ市にも東海岸のアイビーリーグに匹敵する大学が必要だと巨額の資金を提供し、一八九〇年に設立されました。英国のオックスフォード大学にならったゴシック様式の建物が並ぶキャンパスは美しく、「知識を創出し、人類の生活を豊かに」を校訓とする研究に重点を置いた大学です。

シカゴでは南部さんにとてもお世話になりました。ご自宅に呼んでいただいて、奥様のおいしい手料理をご馳走になったことも何度もあります。夕食の後に映画『男はつらいよ』を見るのも楽しみのひとつでした。南部さんはこの映画がお好きで、ビデオをコレクションされていました。観賞する姿勢は真剣そのものでした。渥美清の演じる寅次郎が身勝手な振る舞いをすると、「けしからん」と口には出さないものの、みるみる不機嫌になられました。

東大を退官された小柴昌俊さんがシカゴに一カ月ほど滞在された時も、南部さんの夕食会に招待していただきました。小柴さんは大学院入学時には理論物理学を志望されていて、大阪市立大学教授だった南部さんのところに「武者修行」に訪れて以来のつき合いでした。大阪滞在中に理論物理学に向いていないと悟り、実験物理学に転向されたのだそうです。

小柴さんはロチェスター大学で博士号を取得されてからシカゴ大学でポスドクをされたので、シカゴは懐かしい街だったようです。小柴さんの滞在中には、何度か大学構内の散歩にご一緒し、ポスドク時代の冒険譚《たん》をお聞かせいただきました。

［図14］南部陽一郎（1921–2015）

南部さんに最後にお会いしたのは、二〇一五年の六月でした。私が所属しているカリフォルニア工科大学のTシャツやマグカップをおみやげにお持ちしたところ、喜ばれて、カリフォルニアを訪問された時の思い出や、ゲルマンさんの逸話などを楽しそうにお話しくださいました。その一カ月後に悲しい知らせが届きました。

失敗だったシカゴ大学への転職

残念なことに、シカゴ大学への転職は失敗でした。

高等研究所では自分の研究だけしていればよかったのですが、シカゴ大学の助教授ではそうはいきません。授業や学生の指導のほかにも、研究室の運営や研究資金の確保など、研究以外の業務がたくさんあります。博士号を取ったばかりの二七歳の若さで、英語力も十分ではなかった私には、米国で助教授が務まるだけの準備ができていませんでした。

「人間は能力の極限まで昇進して、無能になる」

これはマネージメントの世界で「ピーターの法則」として知られるものです。組織の中では能力のある者が引き立てられて昇進するので、その人が昇進できなくなった時には無能な状態になっている。したがって、自分の上司が無能に見えるのは彼らが能力の限界まで出世したからだという、冗談半分でありながら世の中の真実を指摘した法則です。シカゴ大学での私は、この法則を地でいったようなものでした。

どうしたものかと困り果てていたら、またしてもクリスマスの前に救いの電話がかかってきました。京大の数理解析研究所所長の佐藤幹夫さんからで、助教授として来ないかというお話でした。南部さんには申し訳ないと思いましたが、日本に帰ることにしました。

「すぐに日本に帰らず、もう少しシカゴでやってみようとは思わなかったのか」という質問を受けることがあります。研究者のキャリアには様々なステージがあり、適切な時期に適切なステージに進む必要があります。シカゴ大学の助教授としては「学生の指導、授業、研究室の運営、研究資金の確保など研究以外の業務」に力を割かなければならず、まだ私はその時期ではないと思いました。研究に集中し、研究者として自らを確立すべき時だったのです。

そのようなステージにあった私にとって、数理解析研究所は素晴らしい環境でした。私に声をかけてくださった佐藤幹夫さんは、「代数解析」と呼ばれる分野を創始した世界的な数学者で、日頃からこんなことをおっしゃっていました。

「朝起きた時に、今日一日数学をやるぞ、と思っているようでは、とてもものにならない。数学を考えながらいつの間にか眠り、朝目が覚めた時にはすでに数学の世界に入っていなければいけない。」

そんな佐藤さんが所長を務める研究所ですから、シカゴ大学と同じ助教授職とはいえ、朝から晩まで研究のことだけを考えることができました。

バッハを聴いて「おもちゃの弦理論」を解く

超弦理論の分野で私が自分でも納得のいく大きな業績を上げることができたのは、数理研で二年半ほど研究をした後で、ハーバード大学に一年間の出張をした時でした。

ハーバード大学に招聘してくださったのは、カムラン・バッファさんでした。私が高等研究所に滞在中に、博士論文の内容についてセミナーをするためにハーバード大学に行ったのが最初の出会いでした。

バッファさんは、イラン革命以前には伯父さんがパフラビー国王の下で財務大臣を務めていたという名家のご出身です。自身はイラン革命の前年に渡米してマサチューセッツ工科大学に留学し、その後に進学したプリンストン大学の大学院ではウィッテンさんの指導を受けました。

ウィッテンさんが究極の秀才だとすると、その弟子にあたるバッファさんは神がかり的な天才です。議論の最中に論理をすっ飛ばして「答えはこうだ」とご託宣があり、ほとんどの場合に正しい。理屈は後からやってきます。

バッファさんとの最初の共同研究はシカゴ大学にいた時でした。まずはその話からしておきましょう。

理論物理学では、しばしば「おもちゃの模型」というものを考えます。物理学の目的は自然現象の説明です。しかし、現実の世界の現象には多くの側面があるので、何が問題の本質で、何が枝葉末節なのかがわからなくなることがあります。そのような時、物理学では問題を思い切って簡単化します。このように簡単化した問題のことをおもちゃの模型と言うのです。おもちゃの模型を解いて本質を理解した上で、現実の世界の問題に取り組もうというわけです。

超弦理論は無限個の粒子を含む複雑な理論です。そこでバッファさんと私は、この理論を簡単化したおもちゃの弦理論を考えることにしました。私たちが考えた弦理論には、無限個ではなく一種類の粒子しか含まれていません。しかし、一般相対性理論の原理は満たしていて、重力も含まれています。そこでこのおもちゃの弦理論をきちんと理解すれば、重力と量子力学の統合を完成するためのヒントが得られるのではないかと思ったのです。

私たちが考えていたのは、このおもちゃの弦理論の重力方程式はどんなものなのだろうかという問題でした。重力といえばアインシュタイン方程式があります。しかし、私たちがおもちゃの弦理論から導いた方程式は、それとは似ても似つかないものでした。

シカゴでこの問題に取り組んでいた頃、インディアナ大学のセミナーに呼ばれました。この大学には全米でも有数の音楽学部があり、毎日のように立派な演奏会が開かれていました。私が到着した夕方には音楽博士号の審査のためのリサイタルがあったので行ってみました。演目はバッハの「無伴奏バイオリンのためのパルティータ」でした。

バッハのバイオリン曲を聴いているうちに、アインシュタイン方程式のほかに、もうひとつ重力の方程式があることを思い出しました。東大でお世話になった江口さんが、まだポスドクだった時に、アインシュタイン方程式を簡単化した「自己双対方程式」を考え、その解を世界で最初に発見されていたのです。江口さんが日本学士院の恩賜賞を受賞された時には、天皇皇后両陛下にこの解についてご進講されたほど重要な業績でした。

バッファァさんと考えていたおもちゃの弦理論は超弦理論より簡単なので、その方程式はアインシュタイン方程式を簡単化した江口さんの自己双対方程式なのではないか。演奏が終わる頃に、そう思いつきました。

そこでリサイタルが終わるとすぐに宿舎に戻り、日本に国際電話をかけました。京大の高崎金久さんが自己双対方程式について研究をしていると聞いていたからです。高崎さんの連絡先は知りませんし、インターネットで電話番号を検索することもできない時代ですから、手間がかかります。まずNTTの電話番号案内を呼び出して京大本部の事務に電話をかけ、高崎さんの秘書に連絡を取ってから、ようやく高崎さん本人につながるという手順でした。

おもちゃの弦理論には一種類の粒子しか含まれていなかったので、高崎さんに重力の自己双対方程式をそのような粒子を使って表現する方法はあるかとお聞きしました。高崎さんは電話口で少しお考えになって、「そういえばポーランド出身でメキシコに移住したジェルズィ・プレバンスキーがそのような方程式を考えている」と教えてくださいました。

翌日インディアナ大学の図書館でプレバンスキーの論文を見てみると、バッファさんと私がおもちゃの弦理論から導いた方程式そのものがそこに書いてありました。つまりおもちゃの弦理論の基礎方程式は重力の自己双対方程式だったのです。私は宿舎のビジネスセンターからバッファさんに電子メールを送り、パズルの最後のピースが見つかったことを伝えました。

翌日、私がシカゴに戻る頃には、その最後のピースを加えた論文の原稿がバッファさんから届いていました。タイトルは「Selfduality and N=2 String Magic（自己双対性とN＝2弦理論のマジック）」でした。論文のタイトルに「マジック」を入れるあたりに、バッファさんのセンスを感じました。「マジック」という単語は古代ペルシアで学者や神官を意味した𐎶𐎥𐎢𐏁（マグ）に由来するので、イラン出身のバッファさんには自然に出てくるのかもしれません。

先ほど、「シカゴ大学への転職は失敗でした」と書きました。しかしシカゴで発表したこの研究はまんざらでもなかったと思います。私の研究の大きな流れのひとつになる「トポロジカルな弦理論」にもつながる成果でした。

普遍性を持つ成果「BCOV理論」

その後もバッファさんとは親しく交流を続け、一九九二年秋から一年間ハーバード大学に滞在することになりました。そこで「トポロジカルな弦理論」の計算方法を開発するという研究計画を立て、ボストンに向かいました。

トポロジカルな弦理論は、高等研究所のウィッテンさんがおもちゃの模型として使おうと考案されたものでした。しかし懸案がありました。物理的に興味のある量について、計算して答えを出すことができなかったのです。私はシカゴ大学にいる時にバッファさんとおもちゃの弦理論について論文を書いていたので、それとは別なタイプのおもちゃの模型であるトポロジカルな弦理論についての問題もハーバード大学滞在中に解決しようと思いました。

そこで出会ったのがイタリアの研究所から来ていたセルジオ・チェコッティさんです。チェコッティさんとバッファさんは超弦理論とは関係なさそうな問題に取り組んでいました。しかし、彼らの議論を見ているうちに、彼らの考え方がトポロジカルな弦理論にも使えるのではないかと思えてきました。

ある日帰りの地下鉄の中で、トポロジカルな弦理論で計算したかった量がある種の方程式を満たすのではないかと思いつきました。数日後には方程式の形を大まかに決めることができたので、バッファさんのところにそのアイデアを説明に行きました。ハーバード大学のカフェテリアで昼食を取りながら二人で紙ナプキンの上に数式を書いて議論すると、大まかにしかわからなかった方程式の形がその場で明確に決まってしまいました。

そうなると次は「この方程式を解いていろいろな量を計算してやろうじゃないか」という話になります。ここからは、チェコッティさんとともに、高等研究所で知り合ったベルシャドスキーさんも加わりました。彼はハーバード大学の助教授になっていたのです。

この方程式を解こうと、毎日黒板の前で何時間も「ああでもない、こうでもない」と議論をしました。しかしなかなか計算の展望が見えません。ようやく道が開けたのは、議論を始めてから半年後の一九九三年三月のことでした。

私はコーネル大学のセミナーに呼ばれて、ニューヨーク州北部のイサカの町を訪れていました。コーネル大学の皆さんとの夕食会の後に宿舎に戻ってテレビをつけると、ニュースで「今世紀最大級の雪嵐が近づいている」と伝えていました。イサカは米国でも有数の豪雪地帯にあるので、雪に閉じ込められたら一週間は出られません。慌てて荷物をまとめて車に乗り、雪嵐に追いかけられるようにひと晩かけてボストンまで戻りました。なにしろ一〇〇年に一度の激しい雪嵐なので、ボストンでもしばらくアパートから出られませんでした。

しかしそのおかげで数日間たっぷり集中して方程式を眺めることができました。するとやがて、ファインマン・ダイアグラムを使うことで、その方程式が順番に解けていくことが見えてきたのです。ダイソンさんの分類によると私はやはり幾何タイプなのかもしれません。

こうなると欲が出て、おもちゃの模型と思っていたトポロジカルな弦理論が、実は超弦理論の計算に直接使えるのではないかという話になりました。そこで四人でまたワイワイ議論すると、超弦理論から導かれる素粒子の計算に役立つことがわかりました。

一年間のハーバード大学での滞在が終わる頃、こうして得られた研究成果を「小平‐スペンサーの重力理論と量子弦理論の厳密な結果」と題した二〇〇ページ近くの論文にまとめました。この研究で私たちが開発した計算方法とその超弦理論への応用は、その後四人の頭文字をとって「BCOV理論」と呼ばれるようになりました。

BCOV理論は数学や物理の幅広い分野で使われるようになりました。私は、高校時代に読んだポアンカレの『科学と方法』[*16]から、価値のある科学とはさらに多くの科学の発展につながる普遍的な発見であると学び、そのような研究を目指してきました。BCOV理論は、私の研究歴の中で初めて、そのような普遍性を持つ成果になったと自負しています。

この論文を完成させた直後、チェコッティさんはイタリアの政界に身を投じました。物理学でやるべきことはやったと思ったのかもしれません。彼はもともとイタリア北部の少数民族の出身です。民族独立を訴える党を創設した彼は、当時躍進していた北部同盟と連携してフリウリ＝ベネチア・ジュリア自治州の知事になりました。さらにフリウリ地方の中心地ウディネの市長も務め、およそ一五年間にわたって政界で活躍しました。今は政治から引退して、物理学の研究に戻っています。

二〇一八年に東北大学で超弦理論についての大きな国際会議を開いた時に、ちょうどBCOV理論の二五周年の記念の年だったので、会議の国際諮問委員会から何かイベントをするべきだと言われ、最終日にBCOV理論の特別セッションを設けました。その時の夕食会の写真を載せておきます（図15）。

［図15］**BCOV理論発表25周年の夕食会**

左端は、カラビ-ヤウ空間の存在を数学的に証明してフィールズ賞を受賞した丘成桐（ヤウ・チェントン）さん。それから右に、ベルシャドスキーさん、チェコッティさん、私、バッファさんの順。

コラム　スピーチには作戦と原稿を

米国に来て感心したことのひとつに、同僚の教授たちのスピーチの上手さがあります。夕食会でデザートが出る頃に、うまいタイミングで立ち上がって、気の利いたことをサクッと言って座る。教授会での舌戦も見事です。私にはとても真似ができないので、スピーチをする時には原稿を用意するようになりました。

最初は英語のスピーチの時だけ原稿を用意していました。しかし日本語でも原稿があると具合がよいことがわかって、最近はどんなスピーチにも必ず原稿を用意します。原稿を書くことで何を言うべきかをよく考えておくことができます。この習慣は何度も役に立ちました。

米国の大学にはテニュア・トラックという制度があります。テニュアとは終身雇用資格のことで、これを持っているとめったなことでは解雇できません。テニュア・トラックとは、テニュアを得るまでの試用期間のことです。期間中に審査に通ればテニュアが与えられます。

第三部でお話しするように、私は、カリフォルニア大学バークレイ校に、最初からテニュア付きの正教授として雇用されました。そのためこれまでテニュア審査を受けたことはありません。その代わりテニュア審査委員長の仕事は何度も任されました。

私が最初にテニュア審査委員長をしたのは、カリフォルニア大学バークレイ校にいた時でした。バークレイではテニュア・トラックの助教授（日本の大学教員職階では助教に対応）には三年ごとに審査があります。通常は、最初の審査は中間評価のためで、二度目の審査でテニュアを与えるかどうかを決めます。

私の委員会の担当した助教授は最初の審査を受けるところでした。しかし、彼の研究業績や学外の研究者からの評価書を読んで、二度目の審査を待たずにテニュア昇進を推薦してもよいと思いました。他の審査委員の方々も同意見だったので、物理学科長のところに相談に行くと、最初の審査なので時期尚早だと反対されました。

そこで教授会で教授たちの賛同を取り付けることはできないかと思い、ウィリアム・シェイクスピアの政治劇『ジュリアス・シーザー』に登場するマーク・アントニーのシーザー追悼演説を参考に、教授会でのスピーチを準備しました。

このシェイクスピアの戯曲では、アントニーはシーザーを暗殺したブルータスを直接非難することなく、シーザーの業績を具体的な事実として淡々と語り、暗殺の是非を聴衆の判断に任せることで市民の心をつかみます。

これにならって、教授会では、審査対象の助教授の業績を具体的に丁寧に説明した後で、しかし学科長のアドバイスにしたがって、審査委員会としてはテニュア昇進を推薦しないと述べました。私の報告が終わると、教授たちから「こんなに業績があるのなら昇進させるべきだ」との発言が相次ぎ、黙って聞いているうちに満場一致でテニュア昇進の推薦が決まりました。学科長も納得して大学本部にそのように報告してくださり、無事にテニュア付きの准教授昇進が認められました。

この教授会では用意した原稿をそのまま読み上げました。『ジュリアス・シーザー』の舞台となった古代ローマでは演説は暗唱するものだったらしく、アントニーの政敵キケロが弁論術を説いた『弁論家について』[*63]には演説原稿の記憶法に関する章もあります。しかし私は記憶力に自信がないので、いつも手元に原稿を置いています。見ないこともありますが、原稿があると安心です。

そのようなわけなので、パーティなどに行って突然「何か一言を」と言われると困ります。そういう時には、できれば事前にご連絡いただけるとありがたいです。

第三部　基礎科学を育てる

米国でのキャリアに再挑戦

ハーバード大学での研究を終えて京大に戻ると、すぐに米国のいくつかの大学から教授職に応募しないかと声がかかりました。シカゴ大学の助教授になった時は、博士号を取ったばかりで明らかに準備不足でした。それから五年経ってそれなりに経験も積み、また自分でも手応えのある研究成果を挙げていたので、米国でのキャリアにもう一度挑戦しようと思いました。

そこでカリフォルニア大学バークレイ校に応募してみました。第二次世界大戦前の日本に九校の帝国大学があったように、カリフォルニア大学機構には一〇校の研究大学が属しています。ロサンゼルス校（UCLA）やサンフランシスコ校（医学大学院大学）は日本でもよく知られていると思います。その中で最初に設立されたのがバークレイ校です。

面接に呼ばれたのでカリフォルニアまで行くと、みっちり三日間の予定が組まれていました。まず物理学教室のいろいろな分野の教授のオフィスを順番に訪ね、一時間ずつ面接を受けます。専門分野の素粒子論だけではなく、幅広い分野の人と交流できる学者かどうか、また同じ大学の同僚としてやっていけるかどうかを見極めるためでもあります。

ただし評価されているのはこちらだけではありません。このような大学訪問は、私のように面接に呼ばれた候補者にとっても「本当にこの大学の教授になりたいか」を検討するためのよい機会です。私には京大の数理解析研究所という立派な職場があり、希望すればそこで働き続けられるのですから、納得できなければ移籍する必要はありません。

もちろん大学側もそれは承知しています。そこで大学の運営に携わる副学長や理事などとの面会が用意され、研究室の立ち上げに必要な支援についても相談ができました。

また滞在中には不動産屋と一緒に近所の売家を見て回るツアーも用意されていました。バークレイは港を挟んでサンフランシスコの対岸にあり、大学の北の丘の上の住宅地からはゴールデンゲートブリッジを望むことができる素敵な街です。

私は京大で任期なしの助教授（現在の大学教員職階では准教授）でしたので、カリフォルニア大学バークレイ校からテニュア付きの正教授のオファーをいただき、それを受けることにしました。米国の大学は秋に新学期が始まるので、一九九四年九月に着任予定でした。

ところが、そこで不測の事態が生じます。インターネットが普及し始め、「ドットコム・バブル」が起きたのです。シリコンバレーのＩＴ企業がインドなどから大量の理系人材を雇ったため、米国のビザの枠が払底し、その余波で私のビザ発給が間に合わなくなりました。

ビザがなければ米国の教授職には就けません。しばらくは「どうなるんだろう」とやきもきしていました。しかし、こればかりは考えてどうなるものでもありません。ちょうどパリ第六大学（二〇一八年からはソルボンヌ大学の一部）から客員教授として滞在するお誘いを受けていたので、秋学期にバークレイに行くことはきっぱりあきらめて、パリで過ごすことにしました。

招聘してくださったパリ第六大学は、セーヌ川に浮かぶサン＝ルイ島にアパートを用意してくださいました。入り口に「マリー・キュリーが一九一二年から一九三四年まで住んでいた」という銘板がかかる歴史的な建物でした。

パリ滞在中には、デカルト哲学のフランス文化への影響を実感することが何度かありました。私が大学で研究をしている間、妻はオテル・リッツの料理学校に毎日朝九時から夕方五時まで通っていました。卒業試験では生徒が調理をしてシェフが評価をします。そこに、ひょんなことから私も立ち会うことになりました。皆さん無事に合格して、クラスを振り返りながらなごやかな歓談になりました。すると、シェフがフランス料理の特徴について話しながら、「私たちフランス人は、キャルテジェンですからね」とおっしゃいます。キャルテジェンというのはデカルト主義者という意味です。料理の話をしていてデカルトが登場するとは思いませんでした。

哲学では、デカルト主義とは「精神と物質が独立した存在だとする二元論」のことです。しかしシェフは『方法序説』[*12]に書かれている理性の使い方のことをおっしゃっていました。フランス料理では、材料を一つひとつ細かく分けて各々の性質を吟味し、それを正しい順番で組み立てて料理にすることが大切である。これは「分析」と「総合」によって真理を探究するデカルトの「方法」にしたがっているというわけです。

フランス人はデカルトを生み出した国だということを誇りに思っていて、その思想も一般に広く浸透しているようです。フランスでは数学ができないと偉くなれないという話をよく聞きます。これもデカルトの影響が大きいのかもしれません。

二度目の超弦理論革命

秋の終わりにようやくビザの許可が下りたので、パリの米国大使館で取得し、米国に移動しました。バークレイ校では、私が東大で助手をしていた時に大学院生だった村山斉《ひとし》さんとも再会しました。村山さんはポスドクとしてバークレイに滞在していたのです。

シカゴ大学で失敗した私にとって、バークレイは捲土重来の場でした。準備不足だったシカゴでの反省を踏まえて、しっかりと計画を練って研究グループを構築し、後進の指導にも力を入れるようになりました。

バークレイ校に着任した直後に、超弦理論の分野で大きな進歩がありました。一九九五年三月一四日、南カリフォルニア大学で開かれた超弦理論の国際会議で、高等研究所のウィッテンさんが「超弦理論の双対性」という壮大な研究プログラムを発表されたのです。

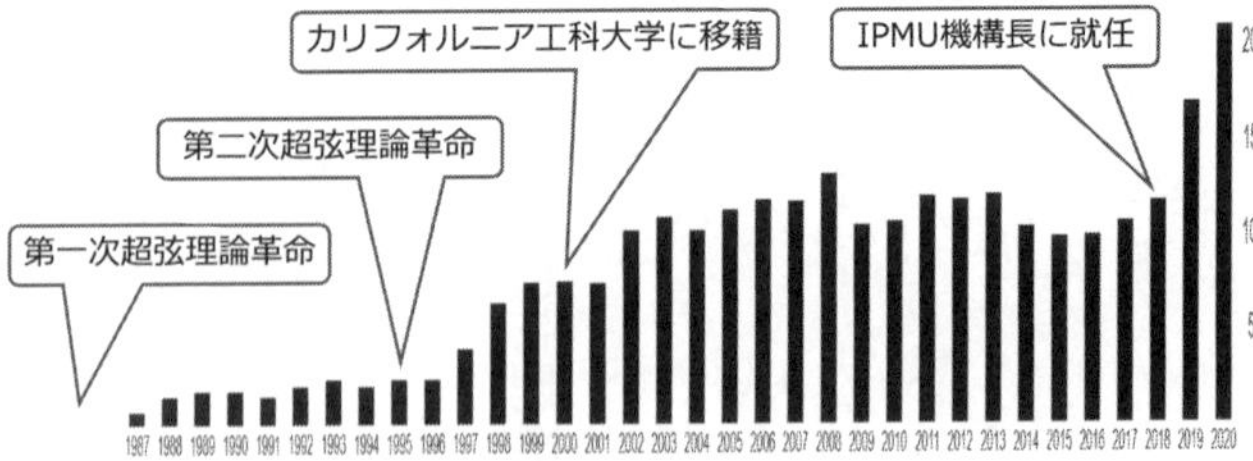

[図16] **私の論文の被引用件数の推移（Google Scholarより）**

その時のウィッテンさんの講演は、私たち専門家が腰を抜かすほどの内容でした。一言でいうと、それまでいくつかのバージョンがあると考えられていた超弦理論が、すべてひとつの理論の様々な近似として現れるというアイデアでした。詳しくは拙著『重力とは何か』[*64]や『大栗先生の超弦理論入門』[*65]に書きましたので、興味のある方はそちらをお読みください。

ウィッテンさんの「双対性プログラム」は超弦理論の研究の方向を大きく変えました。これまで超弦理論からどのようにアプローチしてよいかわからなかった問題、たとえばブラックホールについての深遠な謎などが、次々に解けるようになったのです。私が大学院に入学した一九八四年に起きた超弦理論の爆発的進歩は「超弦理論革命」と呼ばれていました。一九九五年のウィッテンさんの講演で巻き起こった新しい進展は、それに匹敵するものだったので「第二次超弦理論革命」と呼ばれるようになりました。

二度目の革命で私の研究にも大きな変化がありました。それは私の論文の被引用件数にも表れています（図16）。一九九〇年代後半にグラフが伸びているのは、第二次革命の影響だろうと思います。

カリフォルニア工科大学に移籍

バークレイ校に六年間所属した後、私は現在の勤務先であるカリフォルニア工科大学に移籍することになりました。きっかけは「サバティカル」と呼ばれる研究休暇でした。

米国の大学には、教授として六年間勤務すると七年目にサバティカルがいただけるという制度があります。サバティカルはヘブライ語で休日を意味するשַׁבָּת（シャバット）を語源としています。モーセ五書のひとつ『出エジプト記』では、七日目は神に定められた神聖な休息の日とされています。大学教授も七年目にリフレッシュさせようという制度がサバティカルなのです。

大学教授のサバティカルは単に休むわけではありません。多くの人は別の大学に客員教授として滞在し、自分の研究に専念します。普段の職場から離れることで、研究に新境地を見出そうとするのです。私は一年早くサバティカルをいただいて、一九九九年の秋から一年間をカリフォルニア工科大学で過ごしました。

一年の滞在が終わりに近づいた頃、学部長がやってきて「サバティカルはいかがでしたか」とお聞きになりました。「とても素晴らしく、もっといたいくらいです」とご返事すると、「もっと、ずっといませんか」とおっしゃいます。後になって、他大学の教授を引き抜く時に、ま

［図17］**カリフォルニア工科大学（©Caltech）**

手前は最も古い建物のひとつで、初代学長だったロバート・ミリカンの居室があった。ミリカンの学生だったカール・アンダーソンは、この建物の地下で陽電子を発見し、ノーベル物理学賞を受賞した。後ろのモダンな建物は図書館。

ずサバティカルで招聘しておいてから勧誘することがあると知りました。私をサバティカルで呼んでくださったのも、そのためだったようです。

カリフォルニア工科大学に移籍したのは、バークレイ校と比べてこぢんまりとした規模で、お役所的なところが少なく融通が利き、風通しのよさを感じたのが理由でした。バークレイ校は州立の大規模大学で、学部学生は二万五〇〇〇名、教授は一六〇〇名です。それに対し、私立のカリフォルニア工科大学は、学部学生が九五〇名、教授が三〇〇名。学生の数だけ見ると、日本の大きな高校ぐらいの規模です。しかし大学全体の予算はバークレイ校とそれほど変わらないので、ひとり当たりの予算はカリフォルニア工科大学の方が断然大きい。その分、教授一人ひとりの裁量も大きくなります。

計算されたリスクを取って大きく投資するのもカリ

フォルニア工科大学の特徴です。たとえば重力波の直接検出に成功してノーベル物理学賞を受賞したＬＩＧＯという観測施設がそうです。私が移籍した時には、ＬＩＧＯの建設が始まってすでに二〇年ほど経っていました。時間とコストがかかるビッグプロジェクトです。大学の屋台骨を揺るがしかねないほどの投資をしていましたから、長年の努力が実を結んで本当によかったと思います。

カリフォルニア工科大学の創立者ジョージ・ヘールは、もともと太陽を研究する天文学者で、ウィルソン山に天文台を建設するためにパサデナにやってきました。この天文台では、後年、エドウィン・ハッブルが宇宙の膨張を発見します。天文台の近くに研究大学が必要だと考えたヘールは、当時パサデナにあった小さな工芸大学を大改造して現在のカリフォルニア工科大学に育て上げました。

ヘールが手がけたものはそれだけではありません。パロマー山の山頂に世界最大の巨大望遠鏡を建設することを計画したのも彼でした。この計画の経緯は『パロマーの巨人望遠鏡[*66]』に生き生きと描かれています。この望遠鏡はその後半世紀にわたって数々の偉大な発見を成し遂げ、世界の天文学をリードしました。カリフォルニア工科大学は、こうしたヘールの遺伝子を受け継いでいるからこそ、重力波の直接検出という大発見を成し遂げたのです。

一二年間考え続けたことの成果を出す

カリフォルニア工科大学に移って私の研究にも新しい展開がありました。

一九九二年秋から一年間のハーバード大学滞在で完成したBCOV理論は、その後の一〇年の間に、代数幾何や組み合わせ幾何から組みひものトポロジーにいたる数学の幅広い分野に応用されるようになりました。私自身、バークレイ校からカリフォルニア工科大学に移籍した時には、そうした数学的な研究をしていました。私はポアンカレの『科学と方法』[*16]に触発され、「物理学の重要な問題に触発されて得られた厳密な結果には、思いがけない応用がある」と信じて研究しています。BCOV理論の数学の様々な分野での活躍は、それを実証しているようで嬉しいことでした。

しかし、超弦理論の本懐は重力と量子力学の統合なので、BCOV理論には重力に関する問題にも決定的な応用があるべきだと考えていました。

私はそのような重力への応用がないかと考え続けました。そしてBCOV理論の完成から一二年後に、ハーバード大学のアンドリュー・ストロミンジャーさんとバッファさんとの共同研究で、この理論がブラックホールの量子状態を解明するのに使えることを発見しました。

ブラックホールはアインシュタインの一般相対性理論の重要な予言で、その量子状態の解明は重力と量子力学の統合を目指す超弦理論の核心に迫る問題です。そこにBCOV理論の応用が見つかったのです。

私たちのこの成果は数学と物理学の両方で広く認められました。数学では、アメリカ数学会が数学と物理学に関する業績を顕彰するために設立したアイゼンバッド賞の第一回授賞対象となりました。物理学では、京大の大学院で場の量子論の講義をしてくださった九後汰一郎さんと福来正孝さん、東大でお世話になった江口徹さんなど、尊敬する先生方が受賞していらっしゃる仁科記念賞を受賞しました。授賞式にはノーベル賞を受賞された小柴昌俊さん、小林誠さん、益川敏英さんもおいでになり、またシカゴ大学の南部陽一郎さんからお祝いのお手紙をいただいて感激しました。

大学の運営にも参加

研究の方で大きな成果が上がる一方で、カリフォルニア工科大学では大学の運営にも関わるようになりました。

大学に教授の候補を推薦する教授人事委員会に一七年間参加し、そのうち三年間は委員長を務めました。人事委員長だった時の成果のひとつは物性物理学の教授陣の強化です。

物理学では素粒子、宇宙、物性の三つが主要分野です。しかし、当時のカリフォルニア工科大学では物性物理学の研究がほとんど行われていませんでした。これはこの大学で大きな影響力を持っていたマレー・ゲルマンさんの「負の遺産」だと言われています。ゲルマンさんはなぜか物性物理学が嫌いだったのです。しかし物性だけが弱いのはバランスが悪すぎます。そこで私が人事委員長の時にこの分野を強化し、今では物性や量子物理学で世界有数の研究拠点に育っています。

長期戦略計画委員会の委員も務め、理学部の一〇年間にわたる計画策定に参加しました。こちらの委員会も教授着任直後に仰せつかりました。最初から重要な委員会に参加させることで、大学の運営も学ばせようという学部長の配慮だったのだと思います。その一〇年後にも長期戦略計画があり、その時には委員長を任命されました。理学部のすべての分野の動向を調査し、次の一〇年の計画を練ったことは、とてもよい経験になりました。

二〇一八年に東大のカブリ数物連携宇宙研究機構の機構長になった時に、真っ先に長期戦略計画委員会を立ち上げたのは、この経験があったからです。

さらに二〇一〇年からの五年間は理学部の副学部長も務めました。毎週学部長と会って学部の運営のことを相談するので、大学の仕組みにも詳しくなりました。

言葉の力を徹底的に鍛える米国の教育

このように米国で大学の運営に関わることで感じたのは言葉の大切さです。組織を動かす時、日本では人脈の有無や根回しの巧拙などが問われます。これらはもちろん米国でも役に立ちます。しかしそれにもまして重要なのは言葉の力です。話し言葉や書き言葉で人を説得できなければ組織は動きません。

もちろん日本にも言葉を使う素晴らしい文化があります。「言霊」という単語があるように、古くから言葉には不思議な力があると考えられてきました。紀貫之が書いたとされる『古今和歌集』の仮名序にも、

「力をも入れずして天地を動かし、目に見えぬ鬼神をもあはれと思はせ、男女の中をもやはらげ、たけきもののふの心をも慰むるは歌なり。」

とあります。何千年もの間もっぱら同じ風土と文化を共有する人たちの間だけで交流してきた日本人は、抒情的な表現には長けています。しかし異なる文化的背景を持つ人々を動かす力が鍛えられていません。日本語でも使いようによっては論理立った説得力のある表現ができるので、これは教育の問題だと思います。

これに対し多様な文化と交流してきた欧米では、言葉の力を発揮するあらゆる方法が教え込まれます。私は、娘が米国で生まれ育ったので、保育園から大学まで現地の教育に接してきました。そこで感心したのが言葉の力の重視です。欧米の教育制度の根幹にあるリベラルアーツ七科目のうち「論理・文法・修辞」の三つは、まさに言葉の力を育てるものです。

国語（米国なので英語です）では、文章をたくさん読ませ書かせます。英語には漢字のような難しい文字がないので、どこまで理解できているかはともかく読む速度はとても速い。そのため書く分量も読む分量も多いのです。これは日米の新聞の厚さの違いにも反映されていて、たとえばニューヨーク・タイムズ紙の日曜版は二〇〇ページ以上あります。

大学の運営に関わるようになってから同僚の作文能力に感心したことが何度もあります。現地校の国語教育を経験してそのわけが理解できました。小学校低学年から実践的な作文技術を育成し、あらゆる場面での文章を書かされます。ある時、娘が家でラブレターらしきものを書いているので「何を書いてるの」と聞いたところ、それも学校の宿題とのことでした――本当かどうかは知りませんが。

日本でも近年、国語の時間にどのような能力を伸ばすべきかが議論になっています。たとえば人工知能「東ロボくん」の開発でも知られる数理論理学者の新井紀子は、『ＡＩ vs. 教科書が読めない子どもたち』*67の中で、全国五〇万人の大学受験生の八割が東ロボくん以下の国語読解力しか持っていないことを指摘しました。自身のツイッターでも「地理や簡単な算数の文章題を読めず、自力で記述式問題の採点ができない生徒」への危機感を語り、「小中高校の国語の時間の半分は、それ以外の教科の教科書を日本語で書かれた題材として読解する、という時間に充ててもよい、ということにしてはどうでしょう」と提案されています。

こうした意見は二〇二二年度から施行される新学習指導要領の高校国語にも反映されています。これに対し日本文藝家協会は「実学が重視され小説が軽視される、近代文学を扱う時間が減る」ことを危惧する声明を出しています。

私は日本文藝家協会の会員でもあり、協会が危機感を持っている理由もよくわかります。しかし米国の教育を見る限り、実践的な文章力の育成と文学作品の鑑賞は二者択一ではありません。国語の枠の中で時間の取り合いをするのではなく、小中高校の教育でどの教科にどれだけの時間や資源を割り振るべきかについての総合的な議論が必要だと思います。

また米国の学校ではディベートが野球やフットボールなどのスポーツのような扱いになっているのに感心しました。ディベート大会の二カ月前には、「連邦最高裁判所判事には任期を付けるべきか」、「国際養子縁組の害は利を上回るか」、「連邦政府は太陽光発電を財政的に奨励すべきか」といった議題が発表され、生徒たちの準備が始まります。賛否どちらの立場になるかは対戦二〇分前までわかりません。どちらの立場になってもよいように準備をしなくてはいけないので、物事を多様な面から考える訓練にもなります。

子供の頃からこのようなトレーニングを積んでいるのですから、米国社会に弁の立つ人が多いのも当然です。言葉の力の育成が様々な方法で行われていることを実感しました。

膨大なエネルギーを費やし入試の合否を判定

もうひとつ日本の教育制度を考える上で参考になりそうな米国での経験をお話ししておきましょう。私はカリフォルニア工科大学で学部学生の入試委員を三年務め、日米の大学入試の違いを実感しました。

二〇世紀の初頭までは、日本の多くの大学と同様、米国の大学も筆記試験の点数で合否を決めていました。そこに「人格による合否判定」という主観的な要素が盛り込まれるようになったのは一九二〇年頃のことでした。教育熱心なユダヤ人の子弟が有名大学に大量に合格するようになったので、客観的な筆記試験の点数以外の判断基準を加えてその人数を恣意的に制限できるようにしたのです。米国で人格評価が始まったのはユダヤ人差別のためでした。米国の大学入試の差別問題については社会学者ジェローム・カラベルの *The Chosen*（選ばれし者）[*68]という本で詳しく検証されているので興味のある方はご覧ください。

また大口の寄付が期待できる資産家や卒業生の子弟を入試で優遇することも、米国の多くの大学で公然と行われています。ただし私の所属するカリフォルニア工科大学ではそのようなことは行われておらず、理事の子弟でも特別扱いはしないことになっています。

客観的な基準による説明責任を求められない入試制度は大学の運営に都合がよいようです。日本でも「人格による合否判定」を取り入れるべきだとの意見があります。しかし米国の制度にはこのような闇の部分があることを知っておかれてもよいかもしれません。

カリフォルニア工科大学の入試には二四〇名の枠に約一万名が応募してくるので、まず専門の職員がそれを二〇〇〇名に絞ります。それを私たち入試委員の教授が専門職員とペアを組んで選考します。

私のところに送られてきた志願者のフォルダーには、筆記試験の成績、高校からの成績表や推薦書、エッセイや課外活動の記録などが入っています。専門職員の意見書も添付されており、それは自分で評価を決めてから見ることにしました。

書類を丁寧に読むにはひとり当たり三〇分はかかります。私の割り当ては一〇〇件なので、全部読むのには五〇時間を使います。

小学校の時に母親ががんに罹《かか》ったことで生理学への道を志し、高校生であるにもかかわらず大学病院で最先端の研究に参加した志願者がいます。予想どおりの実験結果にならなかった時の研究指導者の対応を見て、思いがけない発見こそ大切であることを学んだという。

田舎町の高校生がいます。成績表や推薦書を見る限りでは飛びぬけた秀才です。しかし能力に見合う教育が受けられず、課外活動といえばチアリーダーしかない。才能を伸ばす機会を与えてあげたいが、カリフォルニア工科大学の研究・教育環境を生かす準備はできているのだろうか。

じっくり読むと受験者一人ひとりの半生がコンピュータ画面の向こうに浮かび上がってきます。

自分なりに合否の判定を決めてから専門職員の意見書を開くと、高校の成績表の分析や課外活動に対する評価が詳しく書き込まれていました。推薦書やエッセイの読み方にもプロならではのコツがあるようです。たとえば「倫理的な葛藤」を課題とするエッセイで、人格や判断力を評価する。「なぜカリフォルニア工科大学か」に対する答えでは、自らの目標をどれだけ具体的に説得力を持って語ることができるかが問われています。ネット検索などで集めた浅薄な知識をもとに書いているような文章は、経験ある専門職員によって見透かされていました。

この意見書を読んでもう一度考え直し、合否判定とその理由を書き込んで入試事務局に送ります。教授と専門職員の合意があればそのまま決裁されます。決着のつかないケースは教授と専門職員の合同会議で議論されます。

膨大なエネルギーを費やし受験者を一人ひとり丁寧に評価することで学生の質が支えられていることを、入試委員を務めて実感しました。

米国の大学入試では成績などのほかに多様性も重視されます。これは、すべての人に機会を与えるという正義の問題であるとともに、人種、性別、国籍、生い立ちなどについて多様な背景を持つ人々との交流が学生の見識を広め、大学での経験を豊かなものにし、教育効果を高めると考えるからです。大量に志願してくる中国や韓国の学生に比べて日本からの学生は極端に少ないので、多様性の重視は日本からの受験生には有利です。入試委員をしていた時に、専門職員に「どうしたら日本からの志願者を増やせるだろうか」と相談を受けたこともあります。大学受験をされる方は、米国の大学入試にも挑戦されてはいかがでしょうか。

三二億円の研究資金調達に成功

カリフォルニア工科大学の運営に関する仕事の中でも特に思い出深いのは、理論物理学研究所の設立です。そのきっかけは資金不足でした。

バークレイ校からカリフォルニア工科大学に移籍した時、超弦理論の分野に常時四名のポスドクを配分してくれるという約束がありました。ひとりのポスドクを一年間雇うのには約八万ドルかかるので、ポスドク四名では毎年三二万ドルの研究資金が必要です。大学としてはかなりのコミットメントだったと思います。しかしそれが私の移籍の条件のひとつだったのです。私はカリフォルニア工科大学に移籍して二〇年になりますが、毎年きちんと約束を守ってくれているので、これまで総計で六四〇万ドル（一ドル＝一一〇円として約七億円）の研究費をいただいたことになります。

私にそんな約束ができたのは、ちょうどその頃、大学が理論物理学のために一五〇〇万ドルばポスドク基金を設立していたからです。基金の株式投資などによる運用で年間五パーセントぐらいの収入があるとすると、毎年七五万ドルなので、その半分を超弦理論の分野に配分すれば私との約束が守れるという皮算用でした。

ところが、「大学の運営にも参加」の節に書いたように、私が教授人事委員長をしていた時に物性物理学分野を強化しました。当然そちらの分野にもポスドクが必要になるので、一五〇〇万ドルのポスドク基金では足りなくなりそうです。もちろん大学の約束なので私が心配する必要はありません。しかし理論物理学の中で超弦理論の分野が突出したポスドク配分を受け続けることは、長い目で見てよくないだろうと気になっていました。そこでプロボストとの面談のたびに「理論物理学全体のポスドク基金を増資してください」と訴えました。

米国の大学には学長のほかに「プロボスト」という役職があり、教授の待遇や研究資金などにも目を光らせています。もともとはキリスト教会の主席司祭や聖堂参事会長といった高位責任者を意味する言葉でした。ヨーロッパの大学は教会や修道院の付属学校に起源を持つので、欧米の大学にはキリスト教会の役職名が残っているのです。カリフォルニア工科大学には教授が三〇〇名程度しかいないので、プロボストは教授の一人ひとりと毎年一度面談をします。大学の資源を采配する立場の人なので、この機会を逃す手はありません。面談のたびに、「大学が私との約束を守れるようにお手伝いしたい」と恩着せがましいことを言いながら、ポスドク基金の増額を求めました。

毎年そう訴えていたら、大学と古くからつながりのあるフェアチャイルド財団に相談に行くことを許されました。こうした資金調達は教授が勝手にやってはいけません。大学の全体の資金戦略と相反してはいけないからです。

財団のオフィスはワシントンD.C.の郊外にありました。「ほかに用もないのに、わざわざカリフォルニアから訪ねていくと、露骨に寄付の相談に来たと思われる」とアドバイスされたので、プリンストン大学のセミナーに行く予定を入れ、「たまたま東海岸に来ているので、ご挨拶に行きたいのですが」と連絡しました。そのようにして財団の理事長にお会いし、カリフォルニア工科大学の理論物理学がどれだけ素晴らしいかをアピールしました。

理事長に勧められて、初代理事長だったウォルター・バークさんをコネチカットの高級住宅地に訪問しました。バークさんは、感染性因子「プリオン」の発見でノーベル生理学・医学賞を受賞したスタンレー・プルシナーの研究を早くから支援していたことを誇りに思っておられました。カリフォルニア工科大学とのつながりをつけたのもバークさんで、LIGOの研究も支援されました。これもまた重力波の直接観測によってノーベル物理学賞を受賞しました。バークさんは私の理論物理学に関する計画を聞いて、「解決すべき問題があれば、リスクを取って投資することに尻込みはしない」とおっしゃってくださいました。

これに勢いを得て財団の理事会を大学に招いて地ならしをすると、プロボストが財団の理事長に電話をしてくださいました。理事長が「一〇〇〇万ドルの支援をしましょう」と提案してきたので、プロボストは「実は、ムーア財団が二対一のマッチングをしてくれるのです」と返しました。すると「では、二〇〇〇万ドル出資しよう」と一気に寄付金額が倍増しました。

二対一のマッチングとは、大学がどこかから二〇〇〇万ドルを集めてくるとムーア財団がそこに一〇〇〇万ドルを足してくれるという、打ち出の小槌のようなインセンティブのことです。この話に財団の理事長が乗ってくれたおかげで、合わせて三〇〇〇万ドル（約三三億円）もの資金が集まりました。ムーア財団からのマッチング資金をどう使うかはプロボストの裁量に任されているので、私たちの資金集めに使っていただけてありがたいことでした。毎年の面談で「ポスドク基金を増資してくれ」としつこく訴えていたので、プロボストも「もう、いい加減にしてくれ」と思ったのかもしれません。

それまでの一五〇〇万ドルと合わせて合計四五〇〇万ドルの基金になりました。その五パーセントに当たる二二五万ドル（約二億五〇〇〇万円）の研究費が毎年自動的に入ってきます。これだけの研究費をきちんと管理できるように研究所として体裁を整えることになり、財団初代理事長の名前を冠した「ウォルター・バーク理論物理学研究所」を設立しました。お金を集めたからには責任を取れということで、私が初代所長に就任しました。

研究所の設立記念シンポジウムを開いた時に、お祝いのパーティの最後に教授のひとりが立ち上がりました。何だろうと思ったら、私に向かって「理論物理学の教授陣を代表して、感謝の気持ちを表したい」とおっしゃって、記念品を手渡してくださいました。一七世紀オランダの著名な地図制作者ヨハネス・ヤンソニウス作の日本全図でした。私はヨーロッパの古地図を収集していますが、しかし日本全図は持っていませんでした。古地図とともに教授陣の寄せ書きもいただき、皆さんに感謝と祝福をされて感激しました。

ところで先ほど「基金の運用益が年間五パーセント」と書きました。この「五パーセント」という数字がどこから出てきたかも説明しておきましょう。米国の研究大学は「エンダウメント」と呼ばれる巨額の基金を持っているところが多く、それを運用するためにファンド・マネージャーを雇っています。たとえばハーバード大学は四〇〇億ドル（約四兆四〇〇〇億円）の基金を有し、それを運用するマネージャーの成功報酬も大きいので、ウォールストリートのトップレベルの人材を雇うことができます。

私の理論物理学研究所の基金はハーバード基金の九〇〇分の一なので、独自に優秀なファンド・マネージャーを雇うことなどできません。そこでカリフォルニア工科大学全体の基金に組み込んで大学のマネージャーに運用してもらっています。研究費が使い切れない時には、所長の裁量で基金に戻して運用してもらうこともできます。大学の株式を買うようなものです。

様々な金融商品に投資をするので運用益は毎年変動します。研究や教育の予算が毎年大きく変わっては困るので、数年間平均した値を使うのがふつうです。「五パーセント」というのは、ここ半世紀ぐらいの基金運用益のデータに基づいて計算された数字です。そのくらいを引き出すのなら、経費やファンド・マネージャーの報酬を引いても、元本の価値が保てるという目安なのです。

奇跡の研究所・アスペン物理学センター

さらにその二年後、私は大学の外でも研究拠点の総裁になりました。この拠点の存在を私が知ったのは大学院生だった一九八四年のことです。「超弦理論革命」の始まりとなったアスペン物理学センターです。

大学院生だった当時は、「米国コロラド州の山の中の研究所」と聞いても、そこがどういう場所なのか全く知りませんでした。私が初めてアスペン物理学センターを訪れたのはそれから五年後、シカゴ大学に助教授として着任する前の夏休みのことです。シカゴでアパートを探してから、二日かけて車でアスペンに行きました。初日は延々と続くトウモロコシ畑の中を高速道路でひたすら西に向かいます。翌日デンバーのあたりに来ると、それまで真っ平らだった大地の先にロッキー山脈が見えてきます。渓谷を縫う高速道路をさらに数時間走って、ようやくアスペンに到着しました。

もともとは銀鉱の町だったアスペンは、米国が金本位制に移行した時にいったん寂れます。しかし二〇世紀に入ってからスキー場が開発されたことで、米国でも有数のリゾート地としてよみがえりました。世界中の政治・思想・ビジネスのリーダーを集めて社会や文化の諸問題を話し合うアスペン・インスティテュートが設立され、夏季にはアスペン音楽祭・音楽学校が開かれるなど、文化的にも充実しています。

アスペン物理学センターのキャンパスは、美しい木々に囲まれた二万平方メートルの敷地にあります。講堂と研究室のある建物群のほか、公園のように整備された敷地のあちこちにはテーブルやベンチが置かれ、屋外でも議論ができるようになっています。最初に行った時は、正式なプログラムは週に二日だけで、それ以外は自由に研究してくれと言われていささか戸惑いました。しかし落ち着いた環境の中で時間を気にせず思索や議論に没頭していると、日常とは違う新しい発想が浮かびます。

このセンターが開設されたのは一九六二年で、私と同い年ということになります。当時まだ三〇代だった三人の物理学者が、夏休みにコロラドの山の中に研究者を集めて自由な雰囲気で議論のできる環境を作ろうとしたのが始まりでした。どの大学や研究所にも属さず、常勤の事務スタッフは二人だけ。それ以外は物理学者のボランティアで運営されています。そんな研究所が半世紀以上にもわたって高いレベルで活動を続けてきたのは奇跡のように思えます。物理学者たちにとって宝のような存在で、アメリカ物理学会が「物理学遺産」の指定を始めた時に初年度の遺産に選ばれました。

誕生から半世紀の間には危機的な状況も経験しました。アスペン物理学センターは設立当初から敷地を借りて運営していました。ところが一九八〇年代の半ばに地主の資金繰りが悪くなり、その敷地が売りに出されてしまったのです。中東のオイルマネー投資家を引き連れたパレスティナ系アメリカ人のモハメッド・ハディッドと、不動産投資で彼の師匠だったドナルド・トランプとが競り合いになり、ハディッドが勝って一九八六年に一帯の土地を買い占めました。ハディッドはその一帯を高級別荘地として開発しようとしたので、アスペン物理学センターは存亡の危機に立たされました。

そこでアスペン市がセンターを守るための行動を起こします。一般市民のための講演会を開いていたので保護すべき文化施設として認めてくれたのです。条例を改正してその一帯を風致地区に指定してくださったので、リゾート開発は不可能になりました。その結果、アスペン物理学センターは高級別荘地の二万平方メートルの土地を二〇万ドルという破格の安さで購入することができました。

日本生まれ・日本育ちが米国物理学遺産の総裁に

私はバークレイ校の教授になってからは毎夏をアスペンで過ごしていました。カリフォルニア工科大学に移籍してからは、物理学センターの会員に選出され、運営にも関わるようになりました。二〇一一年には理事になり、その五年後には総裁に選出されました。アメリカ物理学会の物理学遺産に指定された研究拠点を、日本で生まれ日本で育った私に任せてくださることに、米国科学界の懐の深さを感じました。コロラド州登録の非営利団体の長なので、ディレクター（所長）ではなくプレジデント（社長もしくは総裁）と呼ばれています。

［図18］アスペン物理学センターの屋外セミナー室の落成式での私の挨拶

壁と天井の間からヤマナラシ（アスペン）の林が見える。

大学院一年生の時に起きた超弦理論革命の発祥の地の総裁になることの感激とともに、その重責も感じました。

総裁就任時には困ったことも起きました。物理学者たちがボランティアで運営するアスペン物理学センターには、常勤職員は事務長と財務責任者の二名しかいません。そのうち、まず財務責任者が私の総裁就任直前に急逝されました。それに続いて、事務長が勤続二五年を区切りに退職されることになりました。新米の総裁の着任早々に頼りになる職員が二人ともいなくなってしまったのです。

結局、後任者の選考には二年間かかりましたが、素晴らしい人材を採用することができました。人事のために現地の弁護士と相談する機会も多く、米国の非営利団体の仕組みの勉強にもなりました。

総裁になってから手がけたことのひとつは屋外セミナー室の改築です。美しい自然の中で講演を聞き物理学の議論ができる場所で、アスペン物理学センターの魅力のひとつとなっています。しかし開設以来、半世紀使ってきたので、かなり老朽化していました。

そこで理事会の承認を得て設計費を確保し、屋外セミナー室をバウハウス様式に改装しました。バウハウスというのは一九一九年にドイツのワイマールに設立された造形芸術学校の名前です。センターで最初の建物がバウハウス様式だったので、その隣のセミナー室も同じ様式で統一することにしたのです。ちょうどバウハウス創立一〇〇周年の年だったので世界各地で企画展が開かれていました。そこで、私たちの新しい屋外セミナー室についても、ニューヨーク・タイムズ紙の芸術欄に紹介記事が掲載されました。

アスペン物理学センターでは、夏の長期滞在型プログラムに六〇〇名、冬の会議シーズンには四〇〇名もの研究者がやって来ます。定員の二倍ぐらいの物理学者が応募してくるので、その選考も一仕事です。

滞在者の質は成果を左右するので厳しい選考があります。過去の業績だけで評価するわけにはいかず、学界の重鎮でも選考から漏れることがあります。そういう先生方からの苦情に対応するのは総裁の役割です。「私が総裁に選ばれたのは腰が低いからかもしれない」などと思いながら、一人ひとりに丁寧に理由を説明してご理解いただくように努めました。

夏の滞在者の選考を終えて通知するばかりとなったところで、思わぬ問題が持ち上がったこともあります。米国のトランプ大統領の命令によって、イスラーム圏六カ国からの米国への入国が制限されることになったのです。夏のプログラムにはイスラーム圏からの参加者もいるので、彼らが足止めされてしまう可能性が出てきました。

研究所として政治的な意見を表明するのは適切ではありません。しかし研究所の活動に直接影響することについては何か言っておくべきだろうと思いました。そこで、選考結果を通知する手紙に、イスラーム圏からの応募者が選考で公平に扱われたことを明確にしておくため、「選考において応募者の国籍は考慮されなかった」という旨を書き添えました。また入国のためのビザ取得などを支援するために資金を用意しました。

私は二〇一九年に総裁を退任したので平会員に戻りました。これからも多様な考えの人々が自由に意見を交わす場として発展していくようにお手伝いしていこうと思います。

東大の研究拠点構想に参画

まだアスペン物理学センターの総裁を務めていた二〇一八年に、日本でも東大のカブリ数物連携宇宙研究機構の機構長に就任し、カリフォルニア州、コロラド州、日本の三カ所の研究拠点の長を同時に務めることになりました。

この東大の機構に関しては計画段階から関わってきました。そのあたりから話を始めましょう。

この機構の設立には何人もの先生方が様々なかたちで貢献されました。私よりも重要な貢献をされた方々もいらっしゃいます。私の知らないことも多いので、ここでは私が直接経験したことと、公式文書やメールに記録が残っていることに限ってお話しします。

前に書いたように、米国の大学では六年間勤めると一年間サバティカルがいただけるという制度があります。カリフォルニア工科大学は居心地がよく、気がつくと七年経っていました。そこで一休みした方がよいと思い、二〇〇七年の春学期を東大で過ごすことにしました。久しぶりに日本に長期滞在して、日本の研究者とのつながりを再強化しようと思ったのです。またちょうど私の娘が小学校に上がる年だったので、「ピッカピカの一年生」をやらせてみるのも悪くないなという気持ちもありました。そこで湯島天満宮の前に短期滞在用のアパートを借り、東大の本郷キャンパスに通いました。

私が東京に行く少し前に、文部科学省は「世界トップレベル研究拠点プログラム」という計画を発表し提案を公募していました。日本の科学の中で特に有望だと思われる分野にさらに大きな資金を投下して、文字どおり世界トップレベルの研究拠点を作ろうという意欲的な話です。予算規模は毎年約一四億円で、最初の期間は一〇年間でした。その間に特に成果の上がった拠点については、五年間の延長が認められるというものでした。

私が東京に着いた頃には、すでに東大内でもいくつかの拠点構想が浮上していました。そのひとつは、日本に数々のノーベル賞をもたらした素粒子物理学や、ハワイ島マウナケア山頂のすばる望遠鏡を使った宇宙進化の解明などの、基礎科学プロジェクトを推進しようというものでした。この構想は東大理学部教授の相原博昭さんと宇宙線研究所の所長をなさっていた鈴木洋一郎さんが中心になって検討されていました。

この拠点構想に数学も含めようという意見がありました。その背景にあったのは日本の数学の状況に対する懸念でした。

それまで日本の数学は世界でもトップレベルにあると思われていました。広中平祐や森重文などのフィールズ賞の受賞者を始め数多くの有名な数学者が活躍していたからです。そこに一石を投じたのが、二〇〇六年に発表された科学技術政策研究所の調査報告書「忘れられた科学－数学」でした。数学が日本の科学技術政策の中で「忘れられていた」という刺激的なタイトルでした。

この報告書は日本の数学の国際的な地位が著しく落ちていることを様々なデータで立証しました。要因のひとつは、研究時間や研究者数など数学研究を取り巻く状況の悪化でした。また欧米諸国では数学と他分野との融合研究が奨励され、産業界でも数学研究者が活躍しているのに、日本では他分野との融合の意義や可能性がよく理解されていないことも指摘されました。こうした調査に基づき、報告書では、基礎的な数学研究を促進するための政府資金の拡充とともに、数学と他の分野との融合研究の推進拠点を構築することが提案されました。

私が拠点構想に参画する前のことなので詳しい経緯は知りません。当時の記録を読むと、物理学や天文学は歴史的にも数学と関わりの深い分野なので、このような分野の「世界トップレベル研究拠点」を目指すのなら数学との連携も目指すべきだという意見があったようです。しかし当時この提案を中心になってまとめていたのは実験物理学や天文学の先生方でしたので、数学との連携についての具体的なアイデアがありませんでした。

一方、私は物理学と数学の境界領域で研究をしてきました。この境界領域は一九八四年の超弦理論革命をきっかけに急速な発展を始め、それは現在にいたるまで大きな流れとなっています。その影響力は、過去三〇年間の数学のフィールズ賞受賞者の約四割が超弦理論に触発された研究をしていることからもわかります。私たちが開発したBCOV理論をめぐっても、数学との学際研究が活発に起きていました。さらに二〇〇四年の私たちの論文でこの理論がブラックホールの物理にも応用できることがわかり、数学との融合研究が物理学や天文学のより広い分野に拡がっていく可能性も感じていました。

拠点構想の議論が進んでいる時に、私はちょうど東大で客員教授をしていて、いろいろなところで数学と物理学の交流について話をしたり解説記事を書いたりしていました。そこで数学との連携を推進するために拠点構想への参画を求められたのです。まさに私の興味のある研究の方向でしたので喜んで加わることにしました。

このあたりの詳しい経緯は、カブリ数物連携宇宙研究機構の広報誌『ＩＰＭＵニュース』の二〇一一年六月号に掲載された岡村定矩《さだのり》さんのインタビュー記事に記録されています。岡村さんは東大の理事・副学長としてＩＰＭＵの発足に尽力されました。その時に東大総長を務められていた小宮山宏さんの自伝「私の履歴書」（日本経済新聞二〇二〇年一一月に連載）にも、「この機構を提案したのは岡村定矩副学長である。ある日、岡村さんが興奮気味に『小宮山さん、いいプランができた』と持ちかけてきた」と書かれています。このインタビュー記事で、岡村さんは次のように語っておられます。

「ところが、内容が段々変わってきて、そのうちどの時点かは憶えていないのですが、大栗博司さんが登場して数学を入れようということになりました。この辺から明確に『これはすごく大きく話が変わって、大変アピーリングになりそうだ』という印象をもちました。……色々話を聞いているうちに、数学と天文と物理をくっつけることはとても良いことだとはっきり思ったわけです。……一番の強みは、普通の人たちが明確に違うと思っている数学と物理、天文が分野融合するというのがきちんと見えていたことでしたね。」

これを受けて、インタビュアーの相原さんも、

「異分野融合はなかなか具体案がまとまらず悩んでいました。……偶々大栗先生が物理学教室に来ていて、柳田勉先生……がその話を持ち出したところ、大栗先生から数学との融合はどうかという提案がありました。……物理と数学の融合をこのプログラムの柱としようという話が具体的に進み始めたのは、大栗先生の提案がきっかけだったと思います。」

とおっしゃっています。たしかに、私がこの構想について最初にお話を聞いたのは物理学教室の柳田さんからでした。

「宇宙の数学」とは何か

私が参画するようになってから何度目かの打ち合わせの時に、カリフォルニア大学バークレイ校の村山斉さんに拠点長になってもらおうという話になりました。村山さんは、神岡鉱山のカミオカンデの跡地で行っていた地下実験にバークレイ・チームの一員として参加していて、

日本の素粒子実験の先生方の間でも定評がありました。私ももちろん賛成です。そこで拠点構想を主導されていた相原さんと鈴木さんがバークレイまで説得に出かけました。拠点長になるとバークレイ校と兼業になるので、米国の大学の事情に詳しい私も村山さんに電話をかけて説明しました。

村山さんに引き受けていただけたので、いよいよ本格的に申請書を書くことになりました。そのためには研究拠点の名称も考えなければなりません。村山さんはInstitute for Unified Picture of the Universeという名前を推されていました。日本語なら「宇宙統一像研究所」でしょうか。なかなか斬新なネーミングです。

その一方で、もっと数学との連携を強調した名前にしたいという声もありました。私が本郷の研究室で論文を読んでいると、相原さんがふらりと現れて、「なんとか数学を名前に入れられないか」と二人で頭をひねったこともあります。そこでInstitute for Physics and Mathematics of the Universeという名前を思いつきました。

気になることがありました。Physics of the Universeは「宇宙物理学」という意味なのでちゃんとした英語です。しかしMathematics of the Universeは英語としてありうるか。国際的な研究所を目指すので和製英語は避けたいところです。そこで、皆さんに提案する前に、このような表現が使われているか、文献を調べてみました。すると、オックスフォード大学教授のロジャー・ペンローズが英国の権威ある科学誌『ネイチャー』に記事を書いていて、そのタイトルがまさしくMathematics of the Universeでした。ペンローズがネイチャー誌の記事で使っているのなら立派な英語に違いありません。

念のためにプリンストン大学の先生にご意見を伺うと、Physics and Mathematicsの前には冠詞のtheを入れた方がよいとのことでした。こうした冠詞の使い方は、長年英語を使っていてもなかなか身につきません。そんなわけで、めでたくInstitute for the Physics and Mathematics of the Universeという名前に収まりました。頭文字をとって「IPMU」と呼ばれることが多いので、本書でもこれからはこの略号を使うことにします。

IPMUは日本語に直訳すると「宇宙の物理学と数学の研究所」となります。しかしそれではくだけた感じなので、「数物連携宇宙研究機構」と訳されました。「研究所」ではなく「機構」としたのは、物理学、数学、天文学という幅広い分野の研究者を結集することを強調するためでした。いくつかの研究所を束ねた組織のことを機構と呼びます。たとえば、つくばにあるKEKは、素粒子原子核研究所などの五つの研究施設から成っていて、正式名称は「高エネルギー加速器研究機構」です。

IPMUの英語名の由来となったネイチャー誌の記事を書いたペンローズは、重力理論の大家です。二〇二〇年には「ブラックホールの生成は一般相対性理論の一般的な予言であることを示した」ことに対しノーベル物理学賞を受賞しています。彼が書いたネイチャー誌の記事は、スティーブン・ホーキングとジョージ・エリスが著した『時空の大域的構造』[*69]という一般相対性理論の教科書の書評でした。書評のタイトル Mathematics of the Universe は一般相対性理論が宇宙の数学であるということを表していたのです。

アインシュタインが一九一五年に発表した一般相対性理論はブラックホールや重力波の存在を予言し、これらの予言はその後の宇宙観測で検証されてきました。また、この理論を宇宙全体に当てはめることで、宇宙の始まりや進化、その将来の姿まで科学的方法で探究することができるようになりました。一般相対性理論はまさに二〇世紀の宇宙の数学でした。

しかし宇宙の数学は時代によって変わってきました。たとえば古代ギリシアの宇宙の数学は円や三角形などを扱う初等幾何でした。本書第一部のはじめに、小学生の時に三角形の性質を使って地球の大きさを測った経験について書きました。それもまさに古代ギリシアの宇宙の数学です。

円や三角形が宇宙の数学であった時代は一七世紀初頭まで続きました。本書第一部の「「天から送られた手紙」を解読するという冒険」で、ガリレオの、

「宇宙という偉大な書物を読むためには、そこに書いてある言葉を学び、文字を習得しておかなければならない。この書物は数学の言葉で書かれている。」

という言葉を引用しました、しかし彼はこれに続いて、

「その文字は三角形や円などの幾何学図形である。」

と書いています。ガリレオは実験と観測に基づく近代科学の方法を確立した偉人です。しかし彼の使っていた数学は古代ギリシアの初等幾何から進歩していませんでした。そのため、物体の運動の本質を見抜いてはいたものの、力学の体系を構築するにはいたりませんでした。マイケル・ホスキンの『西洋天文学史』[*70]には、「ガリレオには、複雑な数学理論は苦手で避けて通るという傾向があり、これがコペルニクス主義の宣伝者としての弱点でした」と書かれています。

天体の運動を記述する力学の体系には、微積分が必要でした。力学の構築と微積分の発見という二つの偉業を同時に成し遂げたのが、ガリレオが他界した翌年に生まれたアイザック・ニュートンでした。これにより一七世紀の宇宙の数学は微積分となりました。

このように、紀元前の宇宙の数学は三角形や円の幾何学、一七世紀の宇宙の数学は微積分、そして二〇世紀の宇宙の数学は一般相対性理論でした。

では二一世紀の宇宙の数学は何でしょうか。

私は、それは量子力学と重力の統一理論だと考えています。初期宇宙に関する様々な謎、宇宙に満ちあふれているとされるダークエネルギーの本性、ブラックホールの不思議な性質などを解明するためには、重力の理論と量子力学の両方が必要になるからです。そのような理論の

最有力候補は超弦理論なので、それが二一世紀の宇宙の数学になる可能性もあります。
ニュートンの力学の研究は微積分の発見につながり、それが今日の科学技術の基礎となりました。IPMUという名前のMU、すなわちMathematics of the Universeの部分には、最先端の宇宙研究によって二一世紀の新しい数学を開拓しようという、私たちのこころざしが表明されているのです。

[図19]**IPMU3階にある交流広場**

毎日午後3時にお茶の時間がある。左後方の柱には、「宇宙は数学の言葉で書かれている」というガリレオの言葉が刻まれている。

「お茶の時間」から生まれる分野融合の成果

IPMUでは、二〇〇七年の設立から今日にいたるまで、数学者、物理学者、天文学者が盛んに交流し、分野をまたがる数多くの成果を生み出してきました。そこで大切な役割をはたしたのが午後三時のお茶の時間でした(図19)。

日本の大学でも研究室単位ではお茶の時間を持っているところはあり、教授と学生が話をするよい機会になっています。欧米の研究所では、これを研究所全体の行事として行っているところがたくさんあります。私が二〇代後半に滞在したプリンストンの高等研究所では、午後三時になると本館の大広間に紅茶と焼き立てのクッキーが出て、基礎科学や人文社会の研究者たちが交流する機会になっていました。私も、物理学の問題を考えている時に、お茶の時間に出会った数学者に相談して解決策が見つかったことがあります。

分野間の交流を促す時には「ハードルを下げる」ことが大切です。数学者、物理学者、天文学者を集めて、「さあ話をしなさい」と言っても、すぐには話題など見つかりません。専門用語も違うので「何を言われているのかわからない」ということも起こります。

しかし「ただお菓子を食べに出てきてください」と言われたら気軽に参加できます。お菓子を食べに来ているだけなので、学問的な話をしなくてもよいのです。そもそも基礎科学の研究は地図を持たずに旅をしているようなものなので、毎日進歩があるわけではありません。しかし、そうやって毎日雑談をしているうちに、学問的な話になることもある。本書第二部の「初の海外出張の宿は韓国大統領の別荘」でも書いたように、異分野との交流にはそうした肩の力の抜けた姿勢が効果的です。

IPMUのもうひとつの特長は、「物理学、数学、天文学を結集して、宇宙の最も深淵な謎を解く」という研究所のミッションがきちんと定義されていることです。Institute for the Physics and Mathematics of the Universe という名前もそれを体現しています。そのために、お茶の時間でも「宇宙」がしばしば話題になります。宇宙というのは幅の広い概念なので、数学者でも、物理学者でも、天文学者でも、そこに何か学問的な意味を見出すことができるのです。

科学が発展していくと知識や技術も深化していきます。そのため分野が分かれ専門化していくのは当然のことです。分野融合とはそれに逆行するものではなく、発展し続ける分野の間に橋を架けることです。

ＩＰＭＵでは様々な分野の研究者が交流できる橋を二つ架けました。それが午後三時の「お茶の時間」であり、そこで語られる「宇宙」だったのです。そのような橋を通じて研究者の交流が促進され、分野の垣根を越える新しい研究が生まれてきたのです。

ＩＰＭＵ誕生、そしてカブリの冠研究所に

さて二〇〇七年に戻ります。ＩＰＭＵの申請書が完成し文部科学省に提出される頃、私の東大客員教授としての日本滞在も終わりました。

八月の休暇中に家族でフランス旅行をしていると日本から連絡がありました。書類審査を通ったのでヒアリングがある。米国の大学で教授をしている私が、ちゃんと日本に来て東大の拠点に参加する意思があることを示すために、ヒアリングに出席してほしいとのことでした。そ

こで家族をフランスに置いて、二泊三日で東京に向かいました。ヒアリング会場はホテルニューオータニでした。

　小柴昌俊さんの跡を継いでスーパーカミオカンデの建設を主導した戸塚洋二さんの手記『がんと闘った科学者の記録[*71]』を読むと、二〇〇七年八月三〇日のところに「今日から始まる2日間の打ち合わせのため、昨日ニューオータニにチェックイン」とあります。戸塚さんは病気を押してこのヒアリングの審査員をなさっていたのです。

　この戸塚さんの手記には、ヨーロッパから来ていた審査員のひとりがヒアリング直後にイタリアに飛び、エリチェ村の夏の学校で講義をする予定になっていると書かれています。実は私もヒアリングの後は同じくエリチェ村に向かいました。夏の学校の会場でこの審査員と再会すると、彼の方から握手を求めてきました。ヒアリングの結果についてはもちろん何もおっしゃいませんでしたが、ニッコリ笑顔だったので「通ったかな」と思いました。その翌日に東京から、私たちの申請が採択されたという連絡が届きました。

　ヨーロッパから米国に戻ると、フレッド・カブリさんの八〇歳の誕生日パーティがありました。私はカブリさんの財団がカリフォルニア工科大学に設立したカブリ教授職を務めているので、パーティに招待されていました。

　その頃、相原さんから「ＩＰＭＵにカブリの名前を冠せないものか」と相談を受けていました。そこでカブリさんの誕生日パーティの席で、採択されたばかりのＩＰＭＵの計画をご紹介しました。するとカブリさんご自身や理事の方々がとても興味を持ってくださり、翌年の春には財団の代表団が視察にいらっしゃいました。

カブリ財団は、当時すでにケンブリッジ大学、ハーバード大学、スタンフォード大学、カリフォルニア工科大学など世界各地の著名大学に「カブリ」の名を冠した研究所を設立していました。各々の研究所に財団が基金を寄付し、その運用益で研究費を支援する代わりに、命名権を得ていたのです。そこでＩＰＭＵにもカブリの名を冠し、基金を設立していただこうという話になりました。

しかし国の補助金で運営されている研究所に財団の名前を冠した前例はありませんでした。また東大にも基金を投資し運用益を出すという経験はありませんでした。当時の日本の規則ではこのような基金は銀行預金のような元本保証の運用しかできず、米国のように運用益から五パーセントの研究費を得ることなどできなかったのです。

そうこうしているうちにリーマンショックが起きてしまいます。カブリ財団も損失を出したのでこの話はしばらく棚上げになりました。

その間もカブリ財団と連絡を取り続け、三年後に再挑戦をすることになりました。二〇一一年一月には村山さんと東大の副理事にロサンゼルスに来ていただき、カリフォルニア工科大学の宿舎で夜遅くまで相談しました。翌日の朝に、私が車を運転して財団本部までお連れしました。この時に財団から東大に正式な提案書の提出を求められ、話が動き始めました。翌年にはＩＰＭＵのための基金が設立され、機構の名称も「カブリ数物連携宇宙研究機構」と改称されました。

カブリの名を冠したことで、よいことが三つありました。ひとつは基金によって安定した研究費が得られるようになったことです。また全世界の著名大学にある二〇のカブリ研究所のネットワークに入れたことで国際共同研究の幅が拡がりました。北京大学のカブリ研究所との間では合同ポスドク・プログラムもあります。さらにカブリの名を冠したことでＩＰＭＵの世界的な認知度が高まったことも重要でした。

カブリ財団と私との間には、カリフォルニア工科大学のカブリ教授職と、東大のカブリ数物連携宇宙研究機構のほかに、もうひとつつながりがあります。私が日印中韓の友人たちと協力して毎年開催している「アジア冬の学校」も、カブリの名前を冠して「カブリ・アジア冬の学校」となったのです。数年前にカブリ財団の方々がカリフォルニア工科大学の私の研究室を訪問された時に、この冬の学校のお話をしたら、「そのような活動はぜひ支援したい」とおっしゃってくださったのです。おかげでこのアジア地区の若手の育成も継続して行えることになりました。基礎科学の振興と若手の育成に様々なかたちでご協力いただいていることに感謝しています。

自分が真剣に楽しめることは何か

IPMU設立のきっかけとなった「世界トップレベル研究拠点プログラム」は、

1 世界最高レベルの研究
2 融合領域の創出
3 国際的な研究環境の実現
4 研究組織の改革

を実現し、海外からも目に見える研究拠点を作ることを目指していました。IPMUはこの「四つの要件」すべてで大きな成功を収めたので、研究拠点プログラムの中で唯一、五年間の延長が許され、さらに安定した資金を得て恒久的な研究所となることができました。

IPMUの成功の理由の第一は、初代機構長の村山さんの献身的な努力です。また、村山さんや私のように、米国の大学で管理や運営に携わってきた者たちが、IPMUに関わってきたこともよかったのではないかと思います。

先に挙げた四つの要件のうち、1と2は研究に関するもの、3と4は管理や運営に関するものです。日本の大学制度の中には、国際的な基準とかけ離れていて、日本の国際競争力を削《そ》いでいるものがある。これを改革し、その改革を東大内、さらには日本国内の大学や研究所に展開することが期待されていたのです。

しかし、研究組織を改革して国際的な研究環境を実現しようとする時に、米国やヨーロッパの大学のよさそうな仕組みを輸入するだけではうまくいきません。各国の大学制度はその国の歴史や環境が作り上げたものであり、その中で様々な仕組みが有機的に結びついて働いています。その中からよさそうな仕組みだけを取り出して真似てみても、日本の制度にうまく接ぎ木できるとは限らないのです。

こうした大学の仕組みは、米国やヨーロッパの大学でポスドクを経験したり、一年ほど客員教授などの身分で滞在したりするだけではわからないことが多いと思います。大学にとってはポスドクや客員教授はお客さんなので、舞台裏は見せてもらえないのです。

これに対し村山さんや私は米国の大学で長年教鞭をとってきました。また私の場合には、アスペン物理学センターの総裁を務めたり、カリフォルニア工科大学で理論物理学研究所の設立を主導したりと、管理や運営にも携わってきました。いわば米国の大学の「中の人」だったので、どのような仕組みが日本の制度の中に根付くのか、またそのためには何をすればよいかがわかっていたのです。これもIPMUの成功の一因だったと思います。

IPMUに関わることで、私の研究についても新しい方向が生まれました。次の節でお話しするように、研究所にはそのミッション（使命）が定義されている必要があります。IPMUの場合には、それは「物理学、数学、天文学を結集して、宇宙の最も深淵な謎を解く」ということです。私はそれまでもっぱら超弦理論の数学的側面について研究をしてきました。しかし、このミッションに影響を受けて、私の超弦理論の研究が宇宙の問題にとってどのような意味を持つかを自問するようになったのです。

その成果のひとつが二〇一八年に発表した宇宙のダークエネルギーに関する論文でした。宇宙は現在加速膨張していることが観測でわかっており、それは何らかのエネルギーが原因であると考えられています。しかし、そのエネルギーは正体が不明なのでダークエネルギーと呼ばれ、ダークマターと並ぶ宇宙の大きな謎となっています。私たちは超弦理論を使ってダークエネルギーの一般的な性質に関する予想を立てました。それまでダークエネルギーの性質として信じられていたものとは異なる予想だったために大きな議論を呼び、その年に素粒子論の分野で発表された論文の中で被引用件数が最も多い論文となりました。また、この研究は私がその一二年前の二〇〇六年に発表した別の論文の内容を発展させたものなので、そちらも再び注目されるようになりました。210ページの図16に載せた私の論文の被引用件数のグラフで、過去二年に大きな伸びがあるのはそのためです。このような研究ができたのもIPMUに関わってきたからだと思います。

二〇一七年にはIPMUが設立一〇周年を迎えることになりました。村山さんも機構長一〇年目となり、ご本人もそろそろ交代したいとおっしゃっていました。そこで私に次の機構長にならないかという相談がありました。しかしすぐにはご返事できませんでした。

カナダのペリメータ理論物理学研究所の所長職のオファーをいただいていたからです。二〇〇〇年に設立されたこの研究所は、二〇〇億円以上の潤沢な基金を持ち、オンタリオ州政府からも毎年一〇億円程度の補助金を受けています。理論物理学の研究所としては大きな規模なので、所長の裁量でできることも多く、魅力的な可能性でした。

その頃IPMUの設立一〇周年の記念シンポジウムを開くことになり、私が組織委員長になりました。IPMUでは、数学や理論物理学の研究だけではなく、宇宙観測や実験物理学でも世界最先端の研究が行われています。たとえば初期宇宙のビッグバンからの光を人工衛星から測定して宇宙論に関する仮説を検証する実験や、すばる望遠鏡を使った宇宙のダークマターやダークエネルギーの観測があります。また二つのノーベル物理学賞をもたらした神岡観測所での地下実験でもIPMUの研究者たちが活躍しています。一〇周年記念シンポジウムで、IPMUにおける実験や観測の成果、そしてその将来の可能性についての数々の講演を聞いているうちに、こんな想いが浮かんできました。

私はこれまで理論物理学の研究をしてきた。またカリフォルニア工科大学のウォルター・バーク理論物理学研究所の所長やアスペン物理学センターの総裁も務めてきたが、これらも理論物理学の研究所だった。カナダのペリメータ研究所も、規模は大きいものの理論物理学の研究所なので、そこの所長になることは学問的には新しい方向ではない。実験や観測に基づいて仮説を立て、仮説を検証することで確かな知識を積み上げていくのが科学であるのに、私はこれまで実験や観測には全く関わってこなかったではないか。ＩＰＭＵの機構長として実験や観測の管理や運営にチャレンジすれば、科学者としての経験や見識も広がるだろう。

そう考えていると、三〇年前に東大で助手をしていた時に、東島清さんが「迷ったら、自分が面白いと思うことをやればいいんだよ」とおっしゃっていたことを思い出しました。東島さんは京大の先輩で、当時は東大の助手をなさっていました。「大栗君は修士卒で来たから、戸惑うこともあるかもしれない」と思われたのか、何かと気にかけてくださいました。この東島さんの言葉は、研究プロジェクトを選ぶ時にも、また人生の様々な場面でも、参考にしてきました。

ここで東島さんがおっしゃっているのは、「真剣に楽しめるか」ということだと思います。たとえば研究プロジェクトを選ぶのなら、自らの知的好奇心に忠実であれということです。本書第一部で仏教学者の佐々木閑さんとの対談を引用して、「どんなものでも機能が発揮できる時が幸せなのだ」と書きました。研究できる時間は限られているので、自分の能力がいちばん生かせてしかも意義のある研究を選ばなければいけない。価値のある研究を面白がることができるように自ら好奇心を研ぎ澄ます必要もあります。この「真剣に楽しむ」ということは基礎科学にとって大切なので、本書の最後でさらに詳しくお話しします。

ペリメータ研究所の所長になるかＩＰＭＵの機構長になるか迷った時にも、東島さんの言葉を思い出し、今の自分の能力が最も生かせ可能性が広げられるＩＰＭＵを選びました。

ミッションを忘れてはいけない

ＩＰＭＵの機構長をお引き受けすると決めた時、今度はピーター・ゴダードさんからお聞きしたことを思い出しました。

ゴダードさんは私と同じように超弦理論の数理的側面を研究してこられたので、昔から親しく付き合ってきました。私が京大数理解析研究所の助教授をしていた時には、一緒に鞍馬山に登り、帰りに貴船の川床でくつろいで語り合ったこともありました。ケンブリッジ大学の教授をされていた時にご自宅を訪問したら、その時の写真が額に入れて飾ってありました。

ゴダードさんは、ケンブリッジ大学の教授をなさっていた時にアイザック・ニュートン数理科学研究所を立ち上げられ、同大学のセント・ジョーンズ・カレッジの学長にもなりました。その後、高等研究所の所長を八年間務められました。

高等研究所の所長職をダイグラーフさんに譲られた後、IPMUに数週間滞在されたことがありました。せっかくの機会なので、ニュートン研究所の立ち上げや高等研究所での経験についてインタビューをしました。その記事は、拙著『素粒子論のランドスケープ2』[*72]に再録されています。

その時にお聞きした話で、特に重要だと思ったのは次の二点です。

ひとつは「研究所はミッションを忘れてはいけない」ということです。よさそうな研究テーマがあれば手を出したくなります。しかし研究所の資源は限られているので、何かを引き受けると別のことをする機会を失うかもしれません。失った機会の方がもっと大きな成果につながったかもしれない。これをオポチュニティーコスト（機会損失）と言います。資源を最も効率的に活用し最高の成果を目指すには、研究所のミッションを指針にして計算されたリスクを取らなければいけません。

IPMUは研究所として大きな成功を収め、高い評価を受けています。そのため様々な魅力的な提案が舞い込んできます。しかし何でもできるわけではありません。常に「物理学、数学、天文学を結集して、宇宙の最も深淵な謎を解く」というミッションに立ち戻ることが大切です。

ゴダードさんのもうひとつの教訓は「時間のスケールを考えるべきだ」ということです。研究所が一〇年間うまく機能してきたとします。では次の一〇年はどうするか。その時に過去一〇年を振り返り、次の一〇年のビジョンを考える機会が必要だということです。

私が機構長に就任した時に直ちに長期戦略計画委員会を立ち上げたのは、このゴダードさんの言葉を思い出したからでもあります。

さらにもうひとつ、私が機構長としてのミッションと考えていることがあります。日本の科学には、国際的に見て大きく欠けているものがあります。それはダイバーシティ（多様性）です。IPMUは常勤研究者の約五割が外国人という国際的な研究所で、国籍のダイバーシティという点では日本国内で突出しています。しかし女性研究者の比率は諸外国と比べて著しく低い。

ダイバーシティは、すべての人に公平に機会を与えるという正義の問題です。しかし「宇宙の最も深淵な謎を解く」という研究所のミッションにとっても大切です。基礎科学の研究では、大胆なアイデアを奨励し、多様な視点を取り入れた緻密な議論によってそれを形にしていくことが大切です。そのためには伸び伸びとした知的環境を整えなければなりません。そこに集まる人々がお互いを尊重し合い、自らの先入観や思い込みに注意を払う。そうした環境からこそ大きなブレークスルーが生まれるのです。

研究所は、科学者が自由に、そして集中力を持って真理の探究ができる環境でなければなりません。私はこれまで、高等研究所、京大の数理解析研究所、カリフォルニア工科大学、アスペン物理学センターなど、楽園と呼べるような場をいくつも経験してきました。そうした素晴らしい環境によって自分の能力を引き出してもらったと感謝しています。ＩＰＭＵも科学者の自由な楽園となるよう、機構長として努力しています。

コロナで加速する基礎科学の民主化

この原稿を書いている現在、新型コロナウイルス感染症の世界的流行のため社会活動が大きく制限されています。東大でもカリフォルニア工科大学でも二〇二〇年春にはすべての授業がオンラインになりました。また入構制限のため研究活動も影響を受けました。アスペン物理学センターでも、三月に緊急の理事会が招集され、二〇二〇年夏のプログラムは中止になりました。本書が出版される頃にはワクチン接種の効果が表れ始め、感染が収束に向かい、社会活動が回復していくことを期待しています。

しかし、自宅待機などの間に急速に広まったデジタル革新、特にバーチャルな世界の開拓は、感染が収束しても社会のあり方に不連続な変化をもたらすと思います。そこで、私たち研究者がコロナ時代にどのように対処してきたかをご紹介し、それがポスト・コロナ社会にどのように生かせるかを考えてみます。

コロナ時代になって、皆さんもＺｏｏｍのようなウェブ会議システムを使う機会が増えたことでしょう。私のような研究者たちは、遠隔地の共同研究者との議論などのためにコロナ前からウェブ会議を日常的に利用していました。それが今やセミナーや国際会議などもウェブ上で開かれるようになりました。

私自身も、昨日はオックスフォード大学のセミナーで話をし、今日は南アフリカの国際会議で司会、明日は米国連邦政府の委員会に出席、その間に学生やポスドクと面談をして、IPMUやカリフォルニア工科大学の運営に関する会議にも出席する。これをすべて自宅の書斎から行うという日々が続いています。

ウェブ上のセミナーや国際会議の効果としてまず挙げられるのは、研究情報伝達の加速です。また地方大学や発展途上国の研究者が最先端の講演を聞く機会が増えたことも重要です。この様子は三〇年前に基礎科学で起きた大きな変革を思い出させます。

私が一九八八年に高等研究所に滞在した時、私と同じく超弦理論の研究をしていたジョアン・コーンさんが、最新のプレプリントを電子メールで配信するサービスを始めていました。私たち研究者は当時、査読雑誌に掲載される前の論文をプレプリントとして郵送でやり取りしていました。彼女はそれをメールで配信することを思いついたのです。書き上がった論文のファイルを彼女に送ると、翌日に彼女がメーリングリストに載っている研究者に転送してくれます。しかしこのシステムには問題がありました。ひとつは彼女の善意に頼っていること。もうひとつは、コンピュータのメモリー容量が小さかったので、送られてくる論文ファイルですぐにメモリーがあふれてしまったことです。

一九九一年六月にアスペン物理学センターで開かれていた超弦理論研究会の昼食の席でこの話題になり、そこにいたポール・ギンツバークさんが「もっとよいシステムがあるはずだ」と言い出しました。早速アスペンでワーキンググループが立ち上がり、プログラミングに長けたギンツバークさんは数日でプレプリントの自動配信システムを構築しました。二カ月後には、ロスアラモス国立研究所のコンピュータをレポジトリ（情報貯蔵庫）とする「電子プレプリントアーカイブ」が動き出しました。アーカイブに登録しておくと、新着論文のタイトルと要旨のリストが送られてくる。それを見て読みたい論文の番号をアーカイブにメールすると、ファイルが送られてくるというシステムです。一九九三年にはウェブで配信できるようになりました。

プレプリントを郵送でやり取りしていた時代は、欧米の主要研究機関に所属していない研究者には最新の研究情報がなかなか伝わりませんでした。一九八四年に超弦理論革命が起きた時にも、京大で大学院生をしていた私のところには、プレプリントが届くのに三カ月もかかりました。それが今では世界のどこにいても毎日最新の論文が読めるようになりました。欧米の主要研究機関にいても発展途上国の大学でも、この点では情報環境が平等になりました。電子プレプリントアーカイブは、基礎科学の研究を「民主化した」と言われます。

電子プレプリントアーカイブの設立当時を回想したのは、このシステムのもたらした基礎科学の民主化と研究交流の促進が、ウェブ会議を使ったセミナーや国際会議によってさらに加速すると思うからです。

カリフォルニア工科大学のような米国の主要大学に所属する利点のひとつは、毎日刺激的なセミナーを聞けることでした。それがコロナ時代になってセミナーがウェブで開かれるようになると、発展途上国の研究者でも同じセミナーに参加し質問もできるようになりました。こうしたオンラインセミナーを録画して公開している大学や研究所も多いので、興味のある話題のセミナーを好きな時間に視聴できるのも便利です。

ウェブを通じたセミナーや国際会議は、新しい学術交流のあり方を示しています。電子プレプリントアーカイブと同じように講演ビデオのレポジトリを作ろうという動きも始まり、米国のサイモンズ財団なども後押ししています。

世界の動きに乗り遅れている日本

しかし残念なことに、日本の大学や研究所はこのような世界的な動きに完全に乗り遅れています。日本は著作権の保護が手厚いので、講演ビデオを公開するためには、使われている図版やビデオの著作権を丁寧に確認し、場合によっては使用許可の手続きが必要になります。IPMUの研究者の成果を発信しようと、著作権処理の委託業務の見積もりを取ったら、三〇分のビデオで約一〇〇万円もかかることがわかりました。これではとても続けられません。

これに対し、米国では著作物のフェアユース（公正な目的であれば許可を得ずに利用できること）が判例で確立していて、学術交流のための著作物の使用は一定の枠内で許されています。私が世界各国で講演をしてきた経験では、著作権のために講演ビデオが公開できないという問題があるのは日本だけです。

これまでも講演ビデオの配信に力を入れてきた欧米の研究所は、コロナ時代になってウェブでの情報発信力をさらに高め、国際的ビジビリティを競っています。これに対し、日本の大学や研究所は、日本特有の著作権の扱いのため、バーチャル空間での国際競争に大きなハンディキャップを背負っています。

この件について文化庁に問い合わせたところ、「クリエイターの権利を保護する一方で、コンテンツの利用を円滑化させることも社会全体の発展のために極めて重要と考え」、「研究目的での利用について著作権を一部制限して無許諾で可能とすることについて、そのあり方、対象や要件について検討」し、「研究目的の権利制限に関し、諸外国の制度・運用も含めて調査研究を実施」しているそうなので、今後の進展に期待します。

その一方で、コロナ時代には日本にとって有利な状況もあります。これまでのところ日本は欧米諸国に比べて感染症の流行抑制に成功しているので、海外の優秀な研究者からも「日本に行って研究がしたい」という声を聞きました。「これは海外から才能のある研究者を呼び寄せるチャンスだ」と思い、緊急にＩＰＭＵでいくつかのプログラムを立ち上げました。

たとえば海外には次の職が決まっているのに渡航制限などのために職に就けずに宙ぶらりんになっている優秀な大学院生やポスドクがたくさんいます。そこで、そのような人たちを次の職に就けるまで短期で雇用するプログラムを始め、「ポスドク・アンパッサン」と名付けました。アンパッサンというのはチェスの用語で、通過途中の歩兵を捕獲することを意味します。このプログラムのおかげで、以前にＩＰＭＵのオファーを断ったような優秀な人も「捕獲」することができました。

バーチャル空間の活用は、学術交流だけではなく、一般社会へのアウトリーチにも有効であることがわかってきました。二〇二〇年春から行ってきた一般向けのバーチャル・イベントには毎回数百人から数千人の参加者があり、過半数の人が最後まで視聴してくださっています。また北海道から沖縄まで日本全国からの参加者があります。これまでリアル空間で行ってきたイベントには東大キャンパスに来られる人しか参加できなかったのに対し、バーチャル空間では全国にアウトリーチできるので、地方と都市の情報格差の是正にも役立ちます。

さらに、参加者の構成を見ると、リアル空間でのイベントでは時間に余裕のある方々が多いのに対し、バーチャル空間では中高生や大学生が目立ちます。受験や部活で忙しい中高生でもオンラインで視聴できるイベントなら参加しやすいのだと思います。コロナ時代に明らかになったバーチャル・アウトリーチの利点は、コロナ後にも活用していきます。

ここまではバーチャル空間上の交流のよい点について書いてきました。しかし、学術交流にせよアウトリーチにせよ、そのすべてをウェブで代替できるわけではありません。私が国際会議に行く主たる目的は、講演をしたり聞いたりすることよりも、コーヒーブレークや会食などのインフォーマルな場での交流です。そのような場で、久しぶりに会った研究者に、ちょっとしたアイデアや、あえてメールで問い合わせるほどではない質問を投げかけると、思いがけない反応があって研究を進めるヒントが得られたり、新しい共同研究が始まったりすることがよくあります。

ウェブ会議はあらかじめ議題が決まっている時には効率的です。しかし、思いがけないブレークスルーや異分野を融合するような発見を促すには、もっと気軽に話し合える場が必要です。コロナ時代を機会としてバーチャル空間の様々な活用を試み、ポストコロナ社会に備えてリアルとバーチャルの空間を組み合わせた新しい研究所の姿を模索しています。

研究所の運営面での対応をご説明してきましたが、ＩＰＭＵの研究で新型コロナウイルス対策に直接役に立つものはないのかというご質問もあると思います。私たちが行っているのは基礎研究なので、現実社会の問題にすぐに役に立つとは限りません。では、このような研究を社会が支援するのはなぜでしょうか。それについては、次の第四部で考えていきます。

コラム

時間と体調の管理も大事な仕事

カリフォルニア工科大学の理論物理学研究所所長とＩＰＭＵの機構長を兼任し、二〇一九年まではアスペン物理学センターの総裁でもあったので、三つの管理職を務めながらどうやって研究の時間も確保しているのかと聞かれることがあります。研究所のリーダーとして機能するには、研究者としても現役でないといけないので、これは重要な問題です。

研究をする時には、それだけに集中できるまとまった時間が必要です。管理職の仕事をしていると、どうしても細切れに案件が入ってきて集中力が削がれます。しかもそういう案件の中には簡単に解決できるものも多いので、研究に行き詰まっている時にはついそちらに手を出したくなるという誘惑もあります。

そこで、午前中は管理や運営の仕事には手をつけず、できるだけ研究に集中するようにしています。日本とカリフォルニアの時差のおかげで、ＩＰＭＵとの連絡が必要になるのはカリフォルニア時間で夕方からなので、午前中は自分の研究、午後は教育や管理職としての業務というように時間を振り分けています。日本に行く時にも、時差ぼけを防ぐために一週間以内の滞在の場合にはカリフォルニア時間で生活するようにします。真夜中に起きると日が昇るまでたっぷり研究のことを考える時間があります。ただし夕方になるとシンデレラのように家に帰らなければならないので、夜のお誘いをお断りすることもあります。そのような事情なのでお許しください。

時間の管理ということでは、研究に関しても、自分の研究に集中する時間と、他の研究者の論文を読んで学問の最先端の状況を把握するための時間の両方を、バランスを取って確保する必要があります。電子プレプリントアーカイブから毎日最新の論文リストが送られてくるので、それにもきちんと目を配りつつ、自分の研究を突き詰めるというバランスが大切です。

時間とともに体調の管理にも気を付けています。高等研究所の思い出で、同僚の研究者たちの物事を徹底的に考え抜く持久力の強さに感服したという話をしました。研究は体力勝負なので日頃から身体を鍛えている人も多く、高等研究所の森を散歩しているとジョギングをしている物理学者や数学者によく出会います。

毎日ジムで筋トレをして、「こいつは、筋肉で考えているんじゃないか」と思うくらい立派な身体をしている研究者は珍しくありません。二〇一八年の流行語大賞にノミネートされた「筋肉は裏切らない」という言葉があります。地図を持たずに砂漠をさまようような基礎

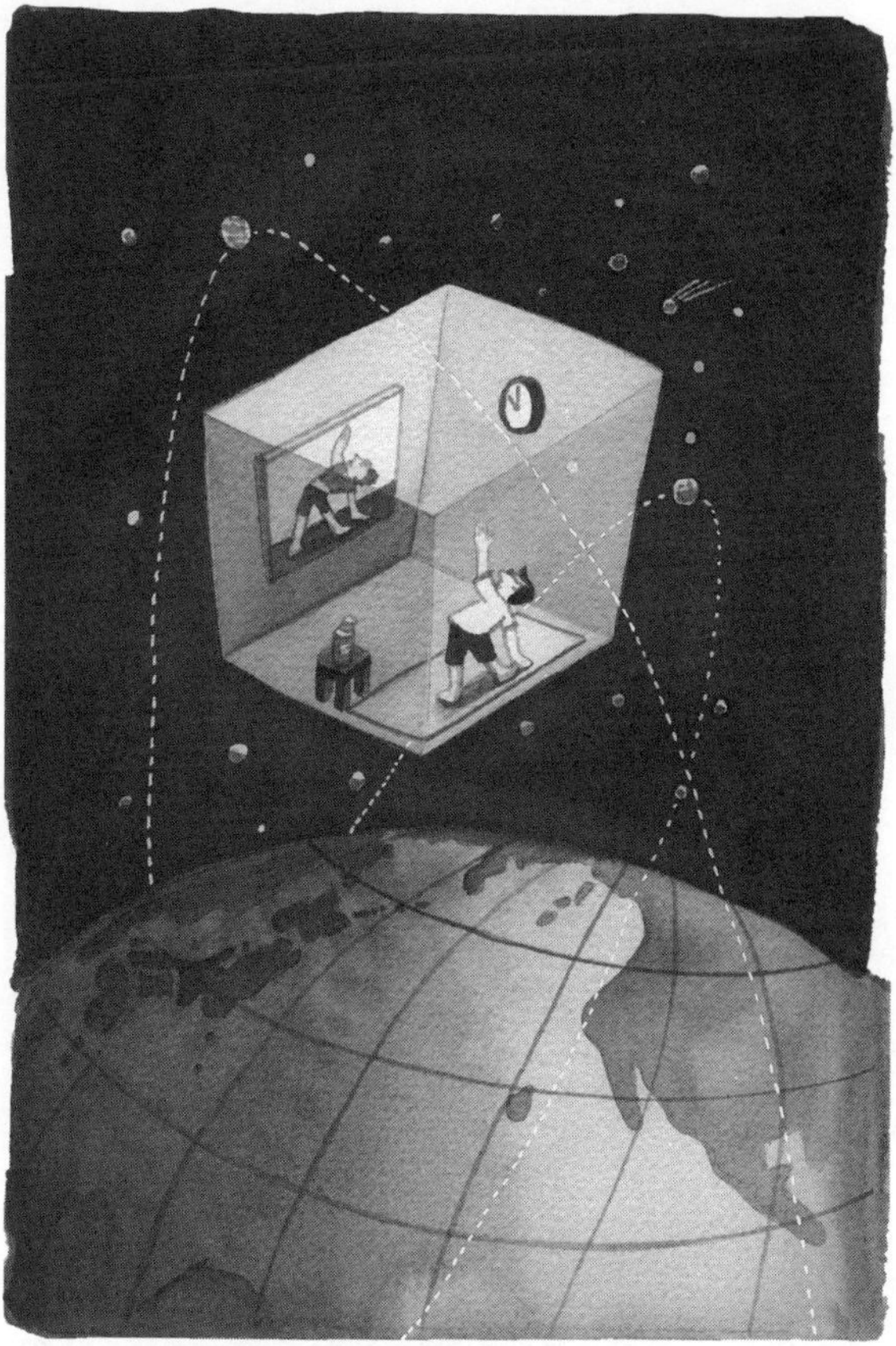

科学の研究では進歩のある日の方が少ないので、努力の結果が目に見える筋トレは精神の安定にも効果があるのかもしれません。

私も、数年前まではカリフォルニア工科大学のジムに通い、トレーナーについていました。しかし娘が東海岸の寄宿学校に行って自宅の部屋が余ってからは、自宅に小さいジムを作ってそこで体操をするようになりました。世界各地の大学や研究所がセミナーや研究会などの講演ビデオをウェブで配信しているので、クロストレーナーの前にスマートテレビを置いて有酸素運動をしながら視聴しています。

インターネットを通じた自宅でのフィットネス・クラスも活用しています。ウェブ会議システムを使って、トレーナーさんがライブで教えてくださいます。新型コロナウイルス感染症の世界的流行で巣ごもり需要が増えたからか、このようなサービスが充実してきているのはありがたいです。

第四部 社会にとって基礎科学とは何か

東日本大震災が問い直した基礎科学の意義

考えることの楽しさを知った小学生の頃から、現在にいたるまでの、私の旅を振り返ってきました。日本の七五年にわたる平和と繁栄の中で、基礎科学を職業とし、自らの好奇心の赴くままに研究ができたことは誠に幸運なことでした。戦後の荒廃から立ち上がり、今日の社会を築き上げてくれた親や先輩の世代に感謝しています。

また科学者として成長していく上でいくつかのチャンスをいただきました。京大の理学部に入学して好きな勉強が好きなだけできるようになったこと。大学院に入った年に超弦理論革命が起きたこと。まだ博士号も取得していない時に東大の助手にしていただいたこと。海外で様々な経験を積めたこと。どれも私の人生へのありがたい贈り物だと思って大切に生かすようにしてきました。

そもそも科学とは「自然現象の観察や実験に基づき仮説を立て、その仮説の予言をさらなる観察や実験により検証する手続き」のことです。検証を経て科学者の間で広く認められるようになった仮説は、科学の知識として確立します。科学は、真理の発見自身を目的とする基礎科学と、その実用を目指す応用科学の二つに分かれています。本書で科学と言う時には、もっぱら基礎科学を指しています。

「この世界についての客観的な真実を見つける作業」である科学の方法が、どのようにして発見され、どのようにして発展してきたかについては、スティーブン・ワインバーグの『科学の発見』[*73]に詳しく議論されています。とても面白い本なので日本語訳が出版された時に巻末の解説を書かせていただきました。そこで科学の歴史自身についてはワインバーグの本にお任せして、ここでは科学と社会との関わりについて考えます。

私は幸いにも基礎科学を職業とすることができ、何の疑問も持たずに研究を楽しんできました。しかし今から一〇年前に基礎科学の社会的意義について深く考える契機がありました。二〇一一年三月一一日に起きた東日本大震災です。

IPMUの私のオフィスで三名の研究者と議論をしていたら建物が揺れ始めました。いつも使っている通勤電車も止まってしまい、その日は帰宅難民になりました。東京にいても何もできないので、とりあえずカリフォルニアに戻りました。しかし科学者として正確な情報を発信しなければいけないと思い、カリフォルニア工科大学の工学部教授で爆発現象を研究されているジョセフ・シェパードさんに「福島第一原発の危機」と題した一般向けの講演をしていただき、日本人会でそのスライドを和訳して配信しました。また震災義援金の募金活動では、日本人会の皆さんの努力で多額の寄付が集まり、赤い羽根共同募金に送ることができました。

そのような活動をしているうちに、大震災の後に浮世離れした研究をしている意味があるのだろうかと自問するようになりました。本書最後のこの第四部では、基礎科学の研究がなぜ社会にとって必要かについて、その時に考えたことをお話しします。

本書第一部の「科学の発見は善でも悪でもない」の節で書いたように、科学の発見はそのままでは何の役に立つのかわかりません。役に立たないかもしれないし、むしろ害になるかもしれない。そのような作業がどうして社会の支援を受けるようになったのでしょうか。それを振り返ることで、科学の発展にとって何が重要かを考えます。その後で現代の社会における科学の意義についてお話ししましょう。

そもそも科学は天文学から始まった

私は物理学者なので、何事も「そもそも」から語り始めなければなりません。科学の様々な分野の中で最初に発達したのは天文学でした。

なぜ科学は天文学から始まったのでしょうか。それは、私たち人間が、ただ生きるだけではなく、生きることにどのような意味があるのか、私たちの存在はこの世界の中でどのような位置を占めているのかを理解したいからだと思います。このような問いを発する生物は、私たちの知る限りでは、人間しかいません。そのため古代から様々な文明が、「宇宙はどのようにして始まったのか」、「宇宙はどのようにできているのか」、「その仕組みはどうなっているのか」

という根源的な疑問に答えようとしました。そこから創世神話や宗教が生まれてきました。

科学では、自然界で生じる様々な現象にパターンを見つけることが最初の重要なステップです。私が小学生の時に理科の実験に引き付けられたのも、「同じ条件では、必ず同じことが起きる」というパターンを見つける作業が楽しかったからです。パターンを見つけることは、その背後にある普遍的な法則の発見のヒントになります。

太陽、月、夜空の星たちなどの天体の運動は、古代人にとってもパターンがわかりやすい自然現象でした。天体の動きを観察して記録するだけで、毎日あるいは毎年くり返されるパターンが存在することがわかります。またそのデータから暦を作成することで、農業をはじめとする実生活にも役立ちました。人間の根源的な好奇心を刺激すると同時に、実用性も持っていたので、天文学は古代から探究されてきたのです。

古代文明の中でもとりわけ高度な天文学を持っていたのは、紀元前二〇〇〇年頃のバビロニアでした。そうなった理由は三つ考えられます。

第一に、バビロニアの王は天界とのつながりがあり、神から戦争、飢饉、疫病などの前兆を受け取ることができるとされていました。王の権威を保つには、未来を予測できる力を見せなければいけません。そこで月食や日食などの天文現象を正しく予言できることが重要になりました。

第二に、バビロニアには天文現象を予言するために毎日星を観測して記録をつける役人がいました。王にとって重要な案件なので十分な投資がなされたのです。バビロニアの天文学者は国家公務員だったのです。

天文学者たちは粘土板にくさび形文字で記録を刻み込んでいたので、それは消えることなく長期間にわたって蓄積されました。天文現象には数年の記録でパターンがわかるものもありますが、日食や月食などの予測には長い期間の観測が必要です。バビロニアでは天文現象の記録が七〇〇年以上も続けられたので、予測の精度はどんどん高まっていきました。

第三に、バビロニアには高度な代数学がありました。彼らは二次方程式や連立方程式の解法も知っていました。しかもその数学は六〇進法に基づいていました。これは大きな数を扱うのに向いているので、星の運行に関する計算が発達しました。

このように、

1 社会的要請
2 継続した努力と長期にわたる投資
3 高度な数学

がバビロニアの天文学を支えていました。この三つが科学の発展にとって重要な条件であることは、今日でも変わりません。

バビロニア天文学のレベルの高さは、惑星の運動に対する理解の深さを見てもわかります。一年周期で同じことをくり返す太陽や恒星の運動と比べると、惑星の運動はかなり複雑です。そもそも惑星という名前は、ギリシア語で「さまよう」という意味の πλανάω（プラナオ）に由来します。地球やその他の惑星は太陽の周りで楕円軌道を描いています。しかし各々の公転周期が異なるので、惑星の運動を地球から観測すると複雑に見えるのです。

もちろんバビロニアの時代にはこの理由はわかっていませんでした。しかし、バビロニアの天文学者たちは数世紀にわたって積み重ねられた膨大な記録から惑星の運動を計算し、金星が八年、火星が四七年、土星が五九年の周期で運動していることを突き止めました。こうした天界の記録は国家機密とされ、王の権威の源泉になっていたのです。

二つの天文学が出合い、さらに発展

一方、バビロニアより遅れて文明が発達したギリシアでは、代数学ではなく幾何学を使った宇宙の理解が発達しました。たとえば地球が球体であることもかなり早い段階で知っていました。紀元前四世紀のアリストテレスは、『天体論』という著作で、月食は地球の影であると説きました。そして、その影が円形なので、地球が球体であると理解していました。

そのアリストテレスからおよそ一〇〇年後に活躍したエラトステネスが、幾何学を使って地球の円周を正確に測ったことは本書でもすでに触れました。ギリシア人たちは、地球の形や大きさを探究するだけでなく、惑星の不思議な運動も幾何学的なモデルで説明しようとしました。

ギリシアの天文学は、バビロニアのように王権の維持を目的にしたのではなく、自由な市民の好奇心や探究心によるものでした——ただし、そうした自由市民の活動が膨大な奴隷の労働によって支えられていたことも忘れてはなりません。しかし古代ギリシアは数多くの都市国家に分かれ競い合っていたので政情は常に不安定で、バビロニアのように継続した努力による長期の観測と記録はできませんでした。

一方、バビロニアの天文学は豊富なデータのおかげで高い予言力を誇っていました。しかしギリシア人たちのように幾何学を使った壮大な宇宙像を描くことはできませんでした。

本書第一部で、同じ理論物理学者にもシュビンガーやダイソンのような代数タイプと、ファインマンに代表される幾何タイプがいるというお話をしました。それと同じように、古代の天文学にもバビロニアのような代数タイプとギリシアのような幾何タイプがあったのです。

それぞれ一長一短があった二つの天文学は、アレクサンドロス大王がギリシアから中央アジアに広がる大帝国を築いたことで出合います。その後三世紀にわたるヘレニズムの時代に、古代オリエントとギリシアの文化が融合し、ギリシア人たちは正確なデータに裏付けられたバビロニアの天文学を知るようになります。これが天文学を大きく前進させました。紀元前二世紀に登場したヒッパルコスは、バビロニアで何世紀にもわたり蓄積されていた月食の記録を使って、月や太陽についての精密な幾何学模型を作りました。

それからさらに三世紀後に、惑星の運動を含む宇宙の統一理論を完成させたのがプトレマイオスでした。天動説を代表する天文学者なので、現在では否定的に語られてしまうこともあります。しかし彼がバビロニアとギリシアの天文学を融合させて築き上げた宇宙像は、幾何学的に壮大で美しい上に予言能力も高いものでした。プトレマイオスの主著『アルマゲスト』は、コペルニクスに始まる地動説が登場するまで、一四〇〇年もの長きにわたって西洋の宇宙像を支配しました。

こうした天文学の歴史が教えることは、まず科学の進歩には時間がかかるということです。天体の動きを理解するには、七〇〇年以上にもわたるバビロニアの天体観測の記録が重要でした。自然界の真実の探究には、そういう長期の展望とそれを実現する忍耐力が必要なのです。

また考え方や環境の多様性も重要です。王権により長期にわたって支援された「代数タイプ」のバビロニアの天文学と、自由な市民の探究心により「幾何タイプ」の世界像を築いたギリシアの天文学が融合することで、宇宙についてのより深い理解、より予言能力の高い理論が生まれたのです。

科学復興が始まった「一二世紀ルネサンス」

古代ギリシアの文明を引き継いだ古代ローマの時代には、基礎科学の独創的な進歩はあまり見られませんでした。実践や実利を重んじるローマ人は、コンクリートの発明など工学的な技術や、ローマ法として知られる法体系の整備などに力を注いだのです。

ローマ帝国の崩壊により、古代の科学や哲学はヨーロッパ世界から失われてしまいます。アレクサンドリアの大図書館の蔵書も散逸してしまいました。幸いその一部はアラビア語に翻訳され、アッバース朝がバグダードに設立した「知恵の館」や、イベリア半島のコルドバを首都とした後ウマイヤ朝の宮廷図書館で生きながらえました。

それが再発見されて復活したのが、一五世紀にイタリアで始まったルネサンスだった——と思われているかもしれません。しかしヨーロッパで科学が復興を始めたのはもう少し早い時代でした。

実は西洋史では「ルネサンス」と呼ばれる時代は三つあります。

一五世紀から一六世紀にかけてのイタリア・ルネサンスは、その三つの中で最後のものでした。その特徴は、古代ギリシアやローマの美術や文芸などの古典の美を再発見し、それを超える独創的な芸術を生み出したことです。これは、キリスト教の神を中心とする世界観から人間を解放し、個人の尊重を重視する近代社会の始まりともなりました。しかし科学史的にはむしろ低調な時代とされており、その後に訪れた一七世紀の科学革命を発酵させるための過渡期であったと考えられています。

三つのルネサンスの中で最初に起きたのは、八世紀から九世紀にかけてのカロリング・ルネサンスでした。カロリング朝を開いたピピン三世の長男カール大帝は、古代ローマ帝国滅亡後に分裂していたヨーロッパを再統一し、神聖ローマ帝国の初代皇帝となります。帝国全土にわたる統治組織などなかったので教会組織で代替することにしたカール大帝は、その精神的主柱となるキリスト教会の文化レベルを向上させる必要があると考えました。「別な言語を習うことは、もうひとつの魂を得ることになる」という言葉も残しているように、視野の広い国際人だったのです。そこでイングランドの修道僧アルクインらを宮廷に招聘し、そこに辛うじて伝わっていた古典文化の復興を目指しました。ヨーロッパ各地に建設された修道院は、教育制度の確立に貢献しました。このカール大帝の古典文化の保護・継承プロジェクトがカロリング・ルネサンスだったのです。独創的な思想や芸術を生み出したわけではありません。しかしヨーロッパの教育レベルを高め、後の発展の基礎となりました。

このように、第一次のカロリング・ルネサンスは教育、第三次のイタリア・ルネサンスは芸術を主とした発展でした。これに対し、古代ギリシアの科学が復興したのが第二次の「一二世紀ルネサンス」でした。

キリスト教国がイスラーム勢力からイベリア半島を取り戻そうとするレコンキスタ（再征服）運動によって、一一世紀から一二世紀にかけて西方イスラーム文化の中心地だったトレドやコルドバが奪還されます。すると、それまで忘れられていたギリシア哲学や科学が、堰を切ったようにヨーロッパに流入してきました。

一方、イタリア南部でも、東ローマ帝国の傭兵だったノルマン人たちが、シチリア島を支配していたイスラーム教徒を打倒してシチリア王国を打ち立てます。イスラーム文化、東ローマ帝国のビザンツ文化、西ヨーロッパのカトリック文化の三つが融合したパレルモでは、コンスタンチノープルの図書館にあった古代ギリシアの文献のアラビア語写本がラテン語に翻訳されるようになりました。

こうして圧倒的にレベルの高いイスラーム文明に囲まれていることを自覚した一二世紀のヨーロッパ人たちは、知的好奇心を刺激されて、それを猛烈な勢いで吸収し始めます。おそらく三〇〇年の鎖国の後に西洋文明を吸収した明治期の日本人のような状態だったのだと思います。これが科学史にとって重要な「一二世紀ルネサンス」です。

大学・大学教授の誕生も一二世紀

ヨーロッパで現在の大学につながる高等教育システムが生まれたのも、一二世紀のことでした。

それまでヨーロッパでは、教会や修道院に付属する学校、すなわち「スコラ」が学問の中心でした。このような環境の中で、神学者や哲学者などが築いた学問のスタイルを「スコラ学」と呼びます。スコラは、ギリシア語で休息を意味する σχολή（スコレイ）に由来し、英語の「スクール」の語源にもなっています。この「休息」が、自由に使うことのできる時間、役に立たない議論をする場所という意味になり、自由な学問を行う場所を表すようになりました。学校とは、役に立たない学問を自由に探究する場所だったのです。

一二世紀末になると、その教育内容に大きな変化が起こります。古代ギリシアの哲学者アリストテレスの論理学の著作群『オルガノン』が発見され、これが中世ヨーロッパの論理学の基礎になりました。法学にしろ神学にしろ、あらゆる学問には論理的な思考が欠かせません。そこで、発見されたばかりのアリストテレスの著作が、諸学の基盤として教えられるようになったわけです。

一〇世紀から一三世紀にかけて、世界の気温が上昇するいわゆる「中世温暖期」がありました。この気候変動は世界各地に大きな影響を与えました。中南米では古典期マヤ文明崩壊の原因のひとつとなり、中央アジアではモンゴル帝国の急速な拡大の背景となったと言われています。一方、ヨーロッパは温暖な気候と十分な雨に恵まれ、鉄製農具の普及や三圃制のような農業技術の発達もあって、食糧生産力が向上しました。

農業に従事しなくてもよい人口が増加すると、ローマ帝国が滅亡してから衰えていた商業が復活し、ヨーロッパ各地に都市が生まれました。そしてフランスのパリでは、都市の自由な空気の中で、教会の付属校で教えていた教員たちが権力者の介入に対抗する組合を結成します。この組合では、教員が講義をするたびに学生から報酬を受け取る仕組みになっていました。これがパリ大学の始まりでした。同じ頃にイタリアのボローニャや英国のオックスフォードでも大学が誕生しました。大学はヨーロッパにおける学問のあり方を革新しました。それまで教会の内部に限られていた知的な活動が、大学という開かれた場所で行われるようになったのです。

「大学教授」という資格も確立しました。リベラルアーツ七科目を学ぶ学芸部や、それに続く神学、医学、法律学の実学三学部で学業を積み重ね、審査を受けた後に、大学教授の資格を持てるようになったのです。学生から授業料を徴収するための教師の品質管理でした。今でもヨーロッパの多くの国では、大学教授になるためには、博士号を取得した後にさらに大学教授免許（ハビリタシオン）を取得しなければなりません。

この大学教授免許は国を越えて通用する資格でした。たとえばパリ大学で免許をもらえば、ボローニャ大学でもオックスフォード大学でも教えることができました。これによって知識人が国際的に活躍できるようになり、学問の標準化が進むことで交流が促進されたのです。

たとえば、後に活躍する一三世紀のトマス・アクィナスは、ナポリ大学を卒業後、パリ大学にドミニコ修道会が設立した教授職に就きました。この教授職は修道会から報酬をもらえるため、学生の授業料を心配せずに研究に打ち込める恵まれた立場でした。トマスは、その後ナポリに招聘されます。さらに、ローマ教皇付きの神学者になると同時にドミニコ会が設立した学校の教授も兼務し、ローマで暮らしました。その後またパリ大学に戻り、彼の主著となった『神学大全』の著述に取り組みます。晩年にはドミニコ会の神学大学を設立するためナポリに赴き、思想の集大成に努めました。トマスのような国際的な知識人は現代社会では当たり前の存在です。それは一二世紀の大学で誕生したのです。

当時はラテン語が国際的な知識人たちの共通語でした。この伝統は今でも欧米の教育に残っていて、私の娘が中学校で選んだ第二外国語はラテン語でした。高校生になるとローマ共和国末期のキケロの『カティリナ弾劾演説』などを原文で読めるようになったので、うらやましいと思いました。

パリの五区と六区にまたがるカルチエ・ラタンという地名は、日本でもよく知られています。これは「ラテン語地区」という意味です。中世のパリ大学の学者たちがラテン語で会話をしていたことから、そう呼ばれるようになりました。パリの人々が「カルチエ・ラタン」という名前を口にする時には、この地区が西ヨーロッパの知的ネットワークの結節点だった一二世紀から連綿と続く文化的伝統を意識するのだと思います。

キリスト教的世界観が受けた衝撃

一二世紀に大学を中心に復興したヨーロッパの学術は、一三世紀に入ると大きな危機を迎えました。きっかけは、『オルガノン』以外のアリストテレスの膨大な著作群が発見されたことでした。これは当時の知識人たちに衝撃を与えました。

アリストテレスの学問の対象は、論理学だけではなく、形而上学や自然学から政治、倫理、心理学、はては文学や演劇にまで広がっていました。しかもその中に、中世ヨーロッパを支配していたキリスト教的な世界観と相いれないものがありました。理性や論理に基づく自然観を提示した形而上学や自然学が、キリスト教の考え方と真っ向から対立したのです。

しかし、アリストテレスの論理学は、すでに一二世紀からヨーロッパの高等教育の中心となっていました。キリスト教の世界観と合わないからといって、ほかの著作を「こんなものは間違っている」と簡単に無視するわけにもいきませんでした。アリストテレスを否定すれば、一二世紀から築き上げられてきた教育や学術の成果を根底から覆すことになってしまいます。

キリスト教徒たちにとっては、アリストテレスが膨大な著作群の中で提示していた宇宙像は、異教徒的で受け入れ難いものでした。しかしそれが理路整然と説得力を持って提示されていたのです。一六〇〇年という時を超えて、古代ギリシアの哲学者から中世ヨーロッパの知識人たちに挑戦状が叩きつけられたようなものです。

古代ギリシア人たちは理性を重視していました。アリストテレスはその著書『政治学』[*74]の中で、「動物たちのなかでロゴス（言葉、理性）をもっているのは人間だけである」と強調しています。これに対し、『旧約聖書』で知恵の樹の実を食べたアダムとイブがエデンの園から追放されたように、キリスト教では知恵を持つことがまさに人間の原罪とされていました。『新約聖書』にも、イエスに神の子である証拠を要求したパリサイ人が「神を忘れた時代の人」と非難される場面があります。

米国で生活していると、今でもキリスト教にそういう反知性主義的な側面があることを感じます。特にキリスト教原理主義者の中には、合理的な思考法に反感を抱く人たちが少なくありません。ニューヨーク・タイムズのような新聞が社説でどんなに論理的に主張しても、彼らは聞く耳を持ちません。議論の中身ではなく、高い教育を受けた人たちの「さかしら」のようなものそれ自身が反発の対象になってしまうのです。

現在でさえそうなのですから、キリスト教が支配していた一三世紀のヨーロッパの人々にとって、アリストテレスの世界観が与えた衝撃はきわめて大きかったと想像できます。古代ギリシアの哲学から近代科学の成立までを描いた山本義隆の『磁力と重力の発見』[*54]には、当時の様子が次のように書かれています。

「アリストテレスは、自然が理性的で合理的な論証によって探求され読み解かれるべき対象であることを示した。」

「事実を統一的に捉える概念装置と論理図式—自然理解のための原理—を提供し、そもそもが自然に向き合う姿勢、自然にたいする眼差しそのものを変えてしまったのである。」

理性とキリスト教を両立させたトマス・アクィナス

アリストテレスの著作群の発見は、一三世紀のキリスト教に深刻な危機をもたらしました。それを解決する上で大きな役割を果たしたのが、先ほど登場したトマス・アクィナスです。一三世紀には、日本でも親鸞、日蓮、道元などの宗教的天才が出現しました。ヨーロッパでは、同じ頃にトマスがキリスト教に大きな変革をもたらしていたのです。

パリ大学の神学部教授だったトマスは、理性に基づくアリストテレスの合理的な世界観と、キリスト教の神秘主義的な教えの両立を目指しました。それまでのキリスト教は、神の神秘性を盲目的に信じることだけを求めてきました。しかしトマスは、その宗教的な神秘は、理性で理解することによって、より深く人間の心に根づくと論じます。それこそが神の御心にかなうことだというわけです。

　もちろん宗教的な神秘には、理性によって証明も反論もできないものもあります。すべてを論理的に説明できるわけではないので、トマスの解決法には限界がありました。しかし、トマスはキリスト教世界の中でアリストテレス的な理性に肯定的な役割を与えることに成功しました。それによって、論理を尊重し、概念を厳密に扱い、対立する考えの矛盾を明らかにすることでより深い真実に近づこうとする考え方がスコラ学の主流になったのです。『磁力と重力の発見』では、トマスの功績を次のように表現しています。

「自然的理性により認識される哲学的真理は、その範囲内では信仰と矛盾するものではなく、信仰に調和的に包摂されるはずであるというトマスの与えた御墨付きは、結果的には理性が自律的に活動しうる分野を保証することになった。」

「神学的な動機づけをはなれて、自然をそれ自体で合理的に研究するゆき方を事実上容認するものであった。」

　キリスト教会はアリストテレスの学問を異端視していました。しかし、一二世紀ルネサンスによって古代ギリシア・ローマの素晴らしい文化に触れ、知的好奇心をかきたてられた教師や学生たちの気持ちを抑えることはできませんでした。トマスの影響もあり、一三世紀にはアリストテレスの自然哲学や形而上学の研究も許されるようになったのです。これがもともとキリスト教の中にあった統一への志向と結びつき、アリストテレスの体系に基づいた統一的な世界観・宇宙観が構築されました。それがキリスト教にとっての正統な考え方となったのです。

キリスト教の正統となったアリストテレスの自然哲学は、一四世紀以降、新しい科学によって打倒されるべきターゲットになりました。たとえば太陽の周りを地球が回っていると唱えたジョルダーノ・ブルーノは教会から異端と見なされ、火あぶりの刑に処されています。地動説を唱えたガリレオも、宗教裁判で有罪判決を受けました。このような紆余曲折はありながらも我々の自然に対する理解が深まっていったのは、トマス・アクィナスが人間の理性の価値にお墨付きを与えたからです。それが科学を発展させるための重要な基盤になりました。

大学の死と再生

一二世紀に誕生したヨーロッパの大学は、一四世紀にはほぼその形態を完成します。しかし、その後数世紀の間に、大学はヨーロッパにおける学問的創造の中心地としての地位を失ってしまいます。その要因のひとつは、一五世紀にヨハネス・グーテンベルクによって発明された活版印刷でした。

現代の社会では、SNSの発達によって、テレビや新聞、書籍、雑誌などの既存メディアが影響力を失いつつあります。それと同様に、一五世紀には、印刷メディアの登場が大学にダメージを与えました。それまでは大学がヨーロッパにおける唯一の知的ネットワークでした。しかし大量に印刷される書物はそれとは別の知的ネットワークを生み出しました。そのため、大学という場に属さなくても、知的生産とその継承が可能になりました。実際、この時代に活躍したデカルト、パスカル、ライプニッツなどは、大学の教授ではありませんでした。この変化によって、大学はもっぱら貴族の子弟のための教育機関になり、知的創造は各地の有力者や啓蒙君主によって設立された「アカデミー」が担うようになりました。吉見俊哉の『大学とは何か』[*75]の表現を借りると、ヨーロッパの大学はここで一度死んだのです。

それが一九世紀に再生する契機になったのは、ナポレオン軍に対するプロイセン王国の軍事的敗北でした。フランスを勝利に導いたのはナポレオンの手腕だけではありません。フランス革命の後に国家を再建するため、フランスは高等教育の整備を行いました。リベラルアーツ教育を目的とする既存の大学では高度な専門知識や技術を持つ人材が育てられないという考えから、国家を背負うエリートの養成を目的とするグランゼコールを設立したのです。

ナポレオンに敗れ領土と人口の約半分を失ったプロイセンの官僚たちは、グランゼコールがフランスの国力を高めたと考え、自分たちの高等教育のあり方に危機感を抱きました。そこで彼らが目をつけたのが、ウィルヘルム・フォン・フンボルトの提唱する大学改革です。

フンボルトの考える大学の目的は、単に知識を詰め込んだ国家のしもべを養成することではありませんでした。彼は、知識を学ぶだけではなく、新たな知識を発見したり知識を進歩させたりするのに必要な技術を身につけた、自律的な人材を育成するのが、大学の目的であると主張しました。この教育と研究を統合した近代的な大学のビジョンは、「フンボルト理念」と呼ばれるようになりました。

プロイセンはこのフンボルト理念に基づき大学を改革しました。それまで教育が中心だった大学には、実験室が設置され、ゼミナールが導入されて、学生も研究に参加するようになりました。すでに確立した知識を学ぶのではなく、新しい知識を生み出していく場として、大学を再生したのです。

フンボルト理念に基づくドイツの大学は世界各地から留学生を集めるようになり、その大学モデルは欧米の高等教育を席巻しました。ドイツの大学制度が、フランスのグランゼコールを凌駕し、国際基準になったのです。これが一九世紀後半から二〇世紀初頭までのドイツの成功を支えました。歴史的使命を終えたかと思われた大学は、このようにして復活しました。

工学部の誕生、変化した大学の役割

一九世紀にはもうひとつ、大学の役割と性格に大きな影響をおよぼす変化がありました。それは工学部の誕生です。

もともとリベラルアーツを教える学芸部と、実学を教える医学部、神学部、法学部からなっていた中世の大学は、技術者を養成する場ではありませんでした。産業革命以前には、生産に必要な技術は徒弟制度で伝えられていました。

しかし産業革命によって、科学と技術の関係は大きく変わりました。最新の物理学や化学などの自然科学の知識、また数学の方法が、目に見える形で役に立つようになったのです。たとえば、効率のよい蒸気機関を作ろうと思ったら、物理学の知識が必要になります。

最新の科学の成果が生産技術に応用されるようになると、技術者にも科学や数学の高度な知識が必要になります。そこで大学に工学部が設置されるようになりました。

やがて欧米の各国は、工学部が生み出す最新の技術や、工学部で高度に教育された技術者が、富の創出や軍事力の増大にとって重要であることを認識するようになりました。その結果、大きな実験施設などが必要になった大学のために、政府が積極的に資金を提供するようになります。これは社会における大学の役割に変化をもたらしました。それまでヨーロッパ全体に広がる知的ネットワークの中で、国家と独立な組織として知識の自由な探究を目的としてきた大学に、資金提供の対価として国家の役に立つ成果が期待されるようになったのです。

明治維新により、日本が欧米から大学制度を輸入したのはちょうどその頃のことでした。一八八六年に帝国大学が創立されると、それまで工部省の付属機関であった工部大学校が吸収され工学部になります。欧米でも、当時すでに技術者養成のための高等専門学校が誕生していました。しかし、村上陽一郎の『工学の歴史と技術の倫理』[*76]によると、世界で初めて総合大学に工学部を開設したのは日本の帝国大学だったそうです。産業革命の後に大学制度を輸入した日本では、富の創出と軍事力の増大が、最初から大学の目的のひとつに組み込まれていたのです。

目的合理性と価値合理性

これまで六節にわたって大学の発展の歴史を振り返ってみました。カロリング・ルネサンスにより修道院付属学校で行われるようになったラテン語教育は、一二世紀になると大学が担うようになり、国際的な知識人としての大学教授という職業も生まれました。また、一三世紀のトマス・アクィナスらの努力によって、キリスト教が支配的な中世においても、自然の仕組みを理性の力で探究することが許されるようになりました。そして、フンボルト理念により、新たな知識を発見したり知識を進歩させたりするのに必要な技術を身につけ、自律的な人材を育成するという大学の使命が明確になりました。一方で、一九世紀後半の工学部の誕生により、国家からの資金援助の対価として、社会の役に立つ人材の育成と理系の実学の振興が大学に求められるようになりました。

ヨーロッパの大学に長期の滞在をすると、一二世紀に誕生した大学と現在の大学との間に連綿たるつながりを感じる機会がしばしばあります。大学は自由に学問をする場所であり、真理の探究にはそれ自身価値があるということが、ヨーロッパの知識層の共通認識としてあるのだと思います。

このような発展の歴史を踏まえて、では二一世紀の大学はどのようにあるべきでしょうか。

現代の大学における教育や研究の意義を考えるうえで役に立つ概念があります。一九世紀末から二〇世紀はじめに活躍した社会学者マックス・ウェーバーが考えた「目的合理的行為」と「価値合理的行為」です。ウェーバーの『社会学の根本概念』[*77]では、社会の中での人間の行為が四つの型に分類されています。その分類によると、感情を動機とする「感情的行為」と習慣となっているので行う「伝統的行為」のほかに、二種類の合理的判断による行為があります。それが目的合理的行為と価値合理的行為です。

「目的合理的行為」は、何かあらかじめ設定された目的に最も効率的に到達するために合理的に選択された行為のことです。たとえば、東京からロサンゼルスまで短時間で移動するという目的のために、航空機を開発するというのは目的合理的行為です。また、このような航空機により多くの人を乗せるために、航空会社が予約システムを改良するのも目的合理的行為です。

これに対し、「価値合理的行為」は、行為自身の価値のために行うものです。たとえば物理学の研究はその例です。物理学者は、自然界の基本法則の発見やそれを使った自然現象の解明という行為自身に価値があると考えて研究をしています。

大学における研究も、ウェーバーの言うところの社会的行為だとすると、工学部の活動はもっぱら目的合理的、理学部や人文系の学部の活動の多くは価値合理的だと分類できます。人文系の学部でも、実学の側面のある法学部、経済学部、教育学部などの活動の中には目的合理的だと考えられるものもあります。

私の素粒子論の研究などは、価値合理的行為の最たるものです。

その反動でしょうか、私の娘は「もっと社会に直接役に立つ科学を勉強したい」と言ってコーネル大学の工学部に進み、情報科学やオペレーションズ・リサーチを学んでいます。二〇二〇年三月、新型コロナウイルス感染症の世界的流行のために、コーネル大学が寮に住んでいる学生を急遽《きゆうきよ》帰省させたことがありました。彼女は大学の起業クラブのチーフ・テクノロジー・オフィサー（最高技術責任者）をしていて、帰省する数千人の学生の荷物の発送を、大学本部から五〇〇〇万円で受注しました。学生寮を閉めることが急に決まって、準備期間が数日しかなかったので、破格の契約だったそうです。そして、オペレーションズ・リサーチの授業で習ったばかりのアルゴリズムを使い、即席のウェブページで学生から情報を集め、荷物の集積から配送までの指令を出すプログラムを書きました。本書第一部の「戦争協力の葛藤――ダイソン『宇宙をかき乱すべきか』」の節で書いたように、オペレーションズ・リサーチは戦争の時に前線の部隊に資材をいかに送るかなどの問題を研究するために始まった学問なので、学生の荷物を寮から自宅に送る時にも応用できます。学生たちの荷物の集積・発送システムが無事に動くことを確認してから、自分も荷物をまとめて帰省しました。授業で習ったことがすぐに役に立ったので感心しました。これなどは、目的合理的行為の典型的な例です。

工学部の目的合理的な研究の中には、大学だからこそできるものも数多くあります。

本書の「はじめに」に書いたように、私は紫綬褒章をいただいた時に他の受章者の著書を読んでから伝達式に臨みました。その時に手に取った橋本和仁さんの『田んぼが電池になる!』[*78]に、こんな話が書いてありました。橋本さんは太陽光で水を分解して酸素と水素を作る光触媒を研究されていました。いわば人工光合成で、成功すればエネルギー問題が解決します。ところが、この方法ではエネルギー効率が悪く実用にならないことがわかりました。「自分が一生懸命やってきた研究が現実に役に立たないことを突きつけられて」橋本さんは落胆します。

しかしふとした機会から別の応用が見つかりました。この光触媒は有機物を分解するので、それをコーティングしておくと汚れを分解したり微生物を不活性にしたりするのです。これが抗菌や防汚効果のある製品の開発につながりました。失敗を成功に変えた素晴らしい発見ですね。自由に研究の目標が選べる大学ならではのエピソードだと思います。

このように、工学部の目的合理的な教育や研究は、何がどのように役に立つかがよくわかるので、大学の活動の中でも社会の支援を受けやすい部分です。しかし、それだけに社会の資源を集中すると、逆に大きな損失を招くこともあります。

まず指摘できることは、何が役に立つかは時間とともに変化しうるということです。たとえば先ほど、目的合理的行為の例として、東京からロサンゼルスまで短時間で移動するという目的のために航空機を開発すること、そしてその航空機により多くの人を乗せられるように予約システムを改良することを挙げました。ところが新型コロナウイルス感染症がまん延すると、短時間・多人数の移動という目的に最適化された航空会社は大きな打撃を受けてしまいました。より速い移動からより安全な移動へと、前提としていた目的がひっくり返ってしまったのです。

このように、すでに与えられた目的を効率的に達成するための目的合理的行為は、短期的には大きな利益を生むことがあります。しかし価値の軸が変わると役に立たなくなってしまう。それに備えるためには、与えられた目的を批判的に吟味し、新しい価値を創造する行為が重要です。ヨーロッパの大学が、一二世紀から普遍的な価値の追究を続け、何百年にもわたって社会の中で独立した地位を保ち続けてきたのもそのためだと思います。

すぐ手の届く果実を収穫するには

本書第二部で、ある程度の成果があらかじめ期待できる研究ばかりをしていると、大きな発見はできないという話をしました。株式投資のポートフォリオと同じように、確実に結果の出せる研究プロジェクトと、リスクはあるが桁違いの成果が期待できる研究プロジェクトを組み合わせることで、困難ではあるが重要な課題に粘り強く取り組むことができるのです。

このような個々の研究者の研究戦略と同様に、科学全体への投資においても幅広いポートフォリオは重要です。

英語には、ローハンギング・フルーツ（すぐ手の届く果実）という表現があります。森の中に果物がたくさん実っている木があった時に、それを最初に見つけた人は下の方に実っている果物を簡単に収穫することができる。しかし、気がつくのが遅れた人は、果物が上の方にしか残っていないので、はしごを使い苦労してもほんの少ししか採れません。ここでは、投資のリターンを果物にたとえています。

では、研究への投資の場合、すぐ手の届く果実を人より先に見つけるにはどうすべきでしょう。大きなリターンをもたらす果樹がどこに現れるかは予測できないので、幅広いポートフォリオを用意し広く網を張っておく必要があります。「選択と集中」という戦略が基礎科学ではうまく機能しない理由がそこにあります。大きな進歩が起きている分野を、日本特有のもったいぶった手続きで「選択」して資源を「集中」する頃には、手の届く果実は採りつくされているのです。

また、山口栄一が『イノベーションはなぜ途絶えたか』[*79]に書いているように、基礎から応用につながる研究で価値のある知を創造し、それを社会の役に立てるためには、

1　基礎科学の研究者
2　その研究に社会的・経済的価値を見出すイノベーター
3　このような研究やイノベーションを支援するプロデューサー

の三者の連携が重要です。そのいずれもが創造的な仕事であり、そのいずれにおいても最先端の科学について深い知識と理解が必要です。そのため、山口が指摘しているように、米国連邦政府の省庁では3の役割をする科学行政官は「博士号を持ち……学術論文を執筆し、講師・助教授以上のポジションに付いた経験」が必要とされています。

本書第一部に登場した理研理事長の大河内正敏は、3のプロデューサーとしての成功例です。大河内は「真理の発見」と「経済的価値の創造」の両者を重視し、朝永振一郎のノーベル物理学賞授賞対象となった基礎研究を支援する一方で、理研ビタミンや合成酒、アルマイトなどの製造販売も手がけました。大河内は理研理事長になる前は東京帝国大学の教授で、工学博士号も授与されていました。物理学や化学に造詣も深く、物理学者の寺田寅彦と弾丸の飛行についての流体力学的な研究をしたこともありました。第二部でお話しした博士号の要件である「人類の知識を自らの研究によって押し広げ、科学の進歩に価値のある貢献をした」という経験が

あったからこそ、無から有を生み出す創造的な仕事に成功したのだと思います。

現代の大学においては、短期的に社会の役に立つ工学部の目的合理的行為にも、新しい価値を追究する理学部や文学部の価値合理的行為にも、幅広いポートフォリオの中で各々に重要な役割があるのです。

役に立たない知識の有益さ

一見役に立ちそうもない好奇心に駆られた研究が、長い目で見ると社会に大きな利益をもたらす例は数多くあります。それはなぜでしょうか。

それを考える上で参考になる文献として、本書第二部の「熾烈な競争の場か、自由な楽園か」の節に登場した高等研究所初代所長アブラハム・フレクスナーのエッセイ「役に立たない知識の有益さ」があります。役に立たない知識が役に立つというのはどういうことでしょうか。

フレクスナーは、この一見矛盾しているようなタイトルの意味を次のように説明しています。

「科学の歴史において、人類に利益をもたらした重要な発見のほとんどは、役に立つためではなく、自分自身の好奇心を満たすために研究にかきたてられた人々によって成し遂げられた。」

「このように役に立たない活動から生まれた発見は、役に立つことを目的として成し遂げられたことよりも、無限に大きな重要性を持つことがある。」

本書第一部の「科学の発見は善でも悪でもない」の節で、基礎科学の発見は、そのままではどのような実用性があるのかすぐにはわからないことが多いという話をしました。基礎科学の研究は知的好奇心に駆られて行うもので、何かあらかじめ与えられた目的を効率的に達成するためのものではない。フレクスナーは、そのような研究の方が「役に立つことを目的として成し遂げられたことよりも、無限に大きな重要性を持つことがある」と言っているのです。「知的好奇心に駆られた研究が最も役に立つ」と主張するためにフレクスナーが挙げた例のひとつに、ジョージ・イーストマンとの対話があります。イーストマンは、カメラのロールフィルムを発明して、写真用品を製造するイーストマン・コダック社を創業した実業家です。生涯独身で、大学などに現在の貨幣価値で二〇〇〇億円相当の寄付をした当時最大の篤志家のひとりでした。

イーストマンは「私財を有益な学問の教育促進に役立てたい」と言っていたので、フレクスナーは高等研究所で行っている好奇心を満たすための研究こそが最も有益だと訴えようとしたのでしょう。イーストマンに「科学において世界で最も有益な研究をしたのは誰だと思いますか」と問います。イーストマンは即座に「マルコーニだ」と答えます。グリエルモ・マルコーニは、二〇世紀のはじめに大西洋を横断する無線通信を実現した発明家です。当時ラジオ放送が行われるようになったばかりだったので、イーストマンはマルコーニの発明とそれがもたらした社会の変化に感銘を受けていたようです。

しかしフレクスナーは、「無線やラジオは人間の生活に大いに役に立っていますが、それに対するマルコーニの貢献は、取るに足らない」と応じます。そして「真の功労者」はジェイムス・クラーク・マクスウェルだと言います。驚くイーストマンに、フレクスナーは次のように説明します。

一九世紀の前半に、マイケル・ファラデーらの研究により、それまで全く別物だと思われていた電気と磁気の間に関係があることがわかってきました。たとえば磁石を動かすと電流が流れる。逆に電流から磁気が誘導されるのです。マクスウェルはこうした電気や磁気の現象について深く考え、これらがすべて一組の方程式で説明できることを発見します。

マクスウェル方程式によると、電場が変化をすると磁場が起きる、また磁場が変化をすると電場が起きることがわかります。これから新しい現象が予言されました。電場が磁場を誘起し、その磁場が変化して電場が生まれ……というように電場と磁場が絡み合いながら、波となって伝わっていく。いわば電場と磁場が馬とびをしながら進んでいく。マクスウェルは「電磁波」を予言したのです。

このマクスウェルの予言は、ドイツの物理学者ハインリッヒ・ヘルツによって検証されました。大学生だったマルコーニはヘルツの論文を読んで電磁波に興味を持ち、その通信への応用に向かったのです。

フレクスナーはイーストマンに、「マルコーニのような人はいずれ現れたでしょう」、「法的な意味での発明者はマルコーニですが、……それは最後の技術的部分だけ」、「ヘルツとマクスウェルの役に立たない仕事を、器用な技術者が借用して、……大して貢献もしていない人々が名声と巨万の富を得たのです」と説明します。

私は、このフレクスナーの評価は、マルコーニに厳しすぎるように思います。前の節に書いたように、それ自身では役に立つかどうかわからない科学の発見に社会的・経済的な価値を見つけ実用化することは、それ自身が創造的な仕事です。マクスウェルが予言しヘルツが発見した電磁波に通信への応用を見つけ、それを実現したマルコーニの仕事は重要なものでした。

しかし、マクスウェルがいなければ、マルコーニの発明もなかったことは確かです。中国に飲水思源という故事成語があります。「水を飲むとき井戸を掘った人を忘れてはいけない」という意味です。私たちが携帯電話を使う時に忘れてはいけないのは、マルコーニでも、ましてやスティーブ・ジョブズでもなく、井戸を掘ったマクスウェルなのです。

マクスウェル方程式の応用は電磁波だけではありません。電気や磁気は私たちの周りのほとんどすべての自然現象に関係しているので、それを使った技術には必ずマクスウェル方程式が登場します。私たちの生活を支えている電子技術は、すべてこの方程式に基づいています。また、生活に役立つ数々の新物質も、マクスウェル方程式と量子力学に導かれて発見されてきました。

しかしマクスウェルはこのような応用を目指して研究をしたのではありません。実際、私たちの身の周りにある電磁気理論の応用は、マクスウェルの時代には思いもよらなかったものばかりです。彼はただひたすら自らの探究心に導かれ、電気や磁気の現象を統一的に説明するためにこの方程式を発見したのです。彼にとっては方程式自身に価値があった。その発見は価値合理的行為だったのです。

このような例は他にもたくさんあります。皆さんがアマゾンで買い物をされる時には、クレジットカードの情報がインターネットで送られます。この情報は盗まれると大変なので、暗号化されています。この暗号には自然数を素数に分解する素因数分解の理論が使われています。

素数の性質は紀元前から人々の興味を引いてきました。古代エジプトのパピルスにもすでに素数についての記録があり、紀元前三世紀に編纂されたユークリッドの『原論』では数の基本として詳しく議論されています。インターネット通信の暗号に使われているのは、一七世紀の数学者ピエール・ド・フェルマーの「小定理」を使った素数の判定法です。それが何であるかは、拙著『数学の言葉で世界を見たら』[*23]の第四話「素数は不思議」で解説しているので、興味のある方はそちらをご覧ください。ユークリッドにせよフェルマーにせよ、素数の性質を理解することそれ自身に価値を見出し、それを探究して様々な定理を見つけたのです。インターネットなどない時代のことなので、暗号への応用など思いもよらなかったことは明らかです。

最近の日本の風潮を見ると小手先のイノベーションの奨励が目に付きます。私たちが日々手に触れるもののほとんどすべては科学の成果によって開発されたり改善されたりしたもので、さらなる進歩のためには基礎から応用につながる幅広いポートフォリオが必要です。イノベーションがやせ細らないように、「役に立たない研究」を行う大学や研究所の果たすべき役割は大きいと思います。

では、このように価値合理的行為から生まれた研究成果が、なぜ長い目で見て役に立つのでしょうか。

価値ある研究は探究心から生まれる

私が教鞭をとっているカリフォルニア工科大学で二〇一三年まで学長を務めていたジャン＝ルー・シャモーさんが、スピーチでこんなことを言ったことがあります。

「科学の研究が何をもたらすかをあらかじめ予測することはできないが、真のイノベーションは人々が自由な心と集中力を持って夢を見ることのできる環境から生まれることは確かである。」

「一見役に立たないような知識の追究や好奇心を応援することは、わが国の利益になることであり、守り育てていかなければいけない。」

私はこのスピーチを聞いて驚きました。シャモーさんの専門は土木工学です。橋を架けたりトンネルを掘ったりと、すぐに社会の役に立つ研究をしている彼が、一見役に立たないような知識の追究や好奇心が重要で、しかもそれが国益にかなうことだと言っているのです。

基礎科学の発見が社会の役に立つのは当然ではあります。産業革命によって、自然科学の知識や数学の方法が、技術の発展に目に見える形で役に立つようになりました。基礎科学は自然界の仕組みの基礎の部分を探究するので、様々な技術の水源となります。また、基礎科学の研究成果は、それが生まれた時には何の役に立つのかわからないだけに、逆に価値の軸が変わってもその有益さは影響を受けません。マクスウェルの電磁気理論の通信への応用や、フェルマーの小定理のインターネット暗号への応用のように、基礎科学の発見が思いがけないかたちで役に立つのも、そうした発見がそれ自身の価値のために行われたからです。

しかし基礎科学の研究成果ならどのようなものでも役に立つわけではありません。誰にも読まれずに埋もれてしまう論文もあります。その一方で、新しい学問分野を生み出し、我々の生活の役に立ち、さらには社会そのものを変革するような、強いインパクトを持つ論文もあります。その違いはどこから生まれるのでしょう。

シャモーさんは、「真のイノベーション」のためには自由な心と集中力を持って夢を見ることのできる環境が必要だと言っています。また先ほど紹介したエッセイ「役に立たない知識の有益さ」でも、フレクスナーは「精神と知性の自由こそ、圧倒的に重要だ」と主張しています。いずれも、科学者が知的好奇心から行う自由な研究こそが、長い目で見て役に立つと言っているのです。

科学者が自らの価値観に導かれて行う研究は、なぜ役に立つのでしょうか。

ここで、本書第一部の「大きなリターンをもたらす研究の価値は何で決まるのか」でご紹介したポアンカレの『科学と方法』[*16]を思い出してみましょう。そこには、価値のある科学とは、さらに多くの科学の発展につながる普遍的な発見であると書かれていました。ポアンカレは純粋数学の研究者なので、ここで彼が語っているのは基礎科学としての価値です。基礎科学として価値のある発見は、幅広い自然現象を説明でき多くの科学の発展につながる。そうした大きな流れのすそ野には、社会に有益な技術への応用も当然含まれてくる。したがって、基礎科学者が価値があると考える発見こそが、長い目で見て大きな役に立つのです。

そして、このような価値のある科学の研究の方向を見定めるために最も重要なのは、科学者の磨き抜かれた探究心です。たとえば、アルキメデス、ニュートンと並んで人類史上最も偉大な数学者のひとりに数えられる一九世紀ドイツのカール・フリードリッヒ・ガウスの若き日の研究について、フェリックス・クラインの数学史書『19世紀の数学』[*80]に次のような表現があります。

「自分の楽しみのために考案されたこれら初期の知的遊戯がすべて、ずっと後になって意識するようになる大目標の布石だったのである。半ば遊びのような最初の力試しでさえ、深い意味を自覚しなくても、隠れている金脈にぴたりとつるはしを向けるというのはまさしく天才の予知能力に他ならない。」

また、代数幾何学という純粋数学の研究でフィールズ賞を受賞し、国際数学連合の総裁も務めた森重文さんは、「数学は役に立つのか」という問いに対してこう答えています。

「今すぐは無理だが、五〇年先か一〇〇年先かわからないが役に立つ。そのためには今のところ数学者の学術的探究心が研究の方角を示す最高のコンパスだ。」（日本数学会『数学通信』二〇一〇年度第四号）

価値の高い発見をするためには、研究者の探究心が卓越したものでなければならない。そう考えると、基礎研究への支援がどのように行われるべきかも明らかになります。最近は、研究費の分配が競争的に行われることが多くなり、研究者が申請書の作成に忙殺されて、研究自身に時間が使えなくなっているという問題があります。もちろん、限られた研究資金は、有望な研究に優先的に分配されなければなりません。しかし、その時の評価の仕方は、工学のような目的合理的行為と、理学のような価値合理的行為では異なるべきだと思います。

工学のような目的合理的な研究の場合には、それがどのように役に立つのか、またその目的が達成できる見込みがあるのかどうかを審査するのは当然のことです。

これに対し、基礎科学の価値合理的な研究は、湯川秀樹の言ったように「地図を持たない旅」のようなものですから、研究の目的やその実現可能性だけで評価するのがよいとは限りません。むしろ、研究者自身の探究心がどれほど優れたものか、またその探究心に導かれた研究を遂行するだけの能力を持っているかが、研究成果の価値を左右します。

そのため欧米には「人にお金をつける」という研究支援制度が数多くあります。研究計画を提出させてそれを評価するのではなく、研究者自身の探究心や能力に投資するのです。私自身も、本書第一部に登場したジェイムズ・サイモンズさんの財団が数理科学振興のために設立した上級研究員にしていただき、一〇年間で一億円以上の研究支援をいただきました。

日本でも、戦前の理研ではこれが実践され成果を挙げていました。本書第一部の「『自由な楽園』での素晴らしき日々」でご紹介した朝永振一郎の随筆「わが師・わが友」から、再度引用します。

「研究テーマの方法や選択は研究員の自主性にまかされており、研究が役に立たないからといって文句をいわれることもなかった。」

「研究にとってなにより必須の条件はなんといっても人間である。そして、その人間の良心を信頼して全く自主的に自由にやらせてみることだ。よい研究者は……何が重要であるかみずから判断できるはずである。」

このような探究心のコンパスに導かれた価値合理的行為が、人類を迷信や偏見から解放し、この世界の理解を深めることで私たちの心を豊かにしてきました。しかも、それが長い目で見ると社会に役立つ応用にもつながる。基礎科学とはなんと素晴らしい職業でしょう。

本書第一部で「より深く、より正しく物事を理解しようとすることが、意識の本来の機能」という話をしました。基礎科学は人間のこうした機能を存分に発揮できる場です。しかし、自らの探究心を研ぎ澄まし、その指し示す方向を見極め、それを突き詰めるには集中力も必要です。これは、第二部で引用した佐藤幹夫さんの「数学を考えながらいつの間にか眠り、朝目が覚めた時にはすでに数学の世界に入っていなければいけない」という言葉にも表されています。また仏教学者の佐々木閑さんは、私との共著『真理の探究』[*49]の中で、「宇宙の真理を突き止めるには、極度に集中した状態を長時間にわたって持続する必要がある。だから、ふつうの仕事はやめて研究の世界で一生を過ごすことになるわけで、これはまさに出家的な生き方と言えます」とおっしゃっています。

出家者としての科学者には責任もあります。釈迦の没後に、弟子たちはその遺教を三蔵と呼ばれる三つの経典に編纂しました。そのひとつの「律蔵」には、出家者たちの行動規範が書かれています。律蔵の研究がご専門の佐々木さんによると、律蔵の目的は「いくら出家しても、一般社会と縁を切って暮らすことはできないのだから、社会から支援してもらえるように、自己を律して暮らし」すということだそうです（日本経済新聞二〇二〇年一一月一三日夕刊）。私たち科学者は、自らの好奇心を満たすという個人的な目的のために、社会の恩恵を受けて、すぐには役に立たないかもしれない研究に専念させていただいていることを自覚する必要があります。

私が所属するカリフォルニア工科大学は私立大学なので、財団や篤志家に基礎研究の意義を説明する機会がよくあります。その際に、「このような研究が精神的な豊かさをもたらすことはわかるが、それが人々の生活をどのように改善することになるのかも知りたい」ということをよく聞かれます。後者のような理由の方が、幅広い支援を得やすいという親切なアドバイスなのだと思います。このような時には「好奇心の赴くままに研究しているのだ」と突き放すのではなく、質問の意図を真摯に受け止めて、基礎科学の価値とその社会的意義について丁寧に説明するようにしています。本書の最後を「社会にとって基礎科学とは何か」の話で締めくくることにしたのもそのためです。

私は、幸いなことに、展望レストランから地球の大きさを測った小学生の時から今にいたるまで、真理をつかんだという確かな手応えを大切にして生きてくることができました。研究を真剣に楽しむことこそが、人類の共通財産である科学の知識を進歩させる原動力です。そしてそれがいつかは社会の役にも立つ。これからも基礎科学という職業を真剣に楽しみ、自然界の基本法則と宇宙の真実を探る旅を続けていくつもりです。

あとがき

古代ギリシアの哲学者アリストテレスの著作『形而上学』[*81]全一四巻は、

「すべての人間は、生まれつき、知ることを欲する。」

という文で始まっています。彼は、「知ることを欲する」ことが人間固有の機能であり、それを開花させることが幸福につながると考えたのです。それから一六〇〇年後のヨーロッパ中世の時代、アリストテレスの哲学を取り入れてキリスト教神学を再構築したトマス・アクィナスは、大学での討論をまとめた七冊の本のひとつ『真理について』[*82]で、「人間の究極目標」は「宇宙とその諸原因の全秩序が霊魂に書き記される」ことであると説きました。トマスからさらに八〇〇年後の今日、「宇宙とその諸原因の全秩序」の解明の大きな部分は基礎科学が担っています。

トマスの属していたドミニコ会は、当時はまだ創立されたばかりの托鉢修道会でした。それ以前の修道会は、農村に広大な領地を所有し、世俗から離れた静謐《せいひつ》な環境で祈りと労働の生活を送る集団でした。それに対し、ドミニコ会とフランシスコ会を嚆矢《こうし》とする托鉢修道会は、勃興しつつあった都市における説教に力を入れました。教えに感銘を受けた人々の喜捨に支えられ、清貧の中で神の真理の探究を行ったのです。本書の冒頭に掲げた『神学大全』*83からのトマスの言葉、

「単に輝きを発するよりも照明する方がより大いなることであるように、単に瞑想するよりも瞑想の実りを他者に伝える方がより大いなることである。」

には、人々の望みや苦しみに応えて教義を伝え広めるドミニコ会の使命が反映されています。

社会に支援されて自然の真理を探究する科学者は、キリスト教の修道士や仏教の出家者の伝統を現代に受け継ぐものです。そこで私も、理論物理学の研究とともに、社会へのアウトリーチにも努めています。幻冬舎からは、これまで『重力とは何か』、『強い力と弱い力』、『数学の言葉で世界を見たら』、『真理の探究』の四冊の本を出版させていただきました。これらの四冊でお世話になった幻冬舎新書編集長の小木田順子さんには、今回も担当をしていただきました。岡田仁志さんは、編集にご協力くださいました。

東京大学・カブリ数物連携宇宙研究機構で科学技術社会論の教授をされている横山広美さんには、本書の原稿に丁寧なコメントをいただき、また科学の価値中立性や工学の歴史に関する資料をご提供いただきました。花園大学・文学部仏教学科教授の佐々木閑さんには、「律蔵」の文言の解釈とその出典についてご教示いただきました。本書の内容に関する責任を私が負うことは言うまでもありません。

本書の「はじめに」にも書きましたように、私は一昨年末に前立腺がんの診断を受けました。その数週間後には、南カリフォルニア大学病院・先端ロボティックス医療センター長のミヒル・デサイ先生に手術をしていただくことができました。幸いがんは原発巣に局在しており、手術は成功でした。手術の翌日には帰宅し、翌々日にはカブリ数物連携宇宙研究機構の機構長としての業務にもリモートで復帰することができました。手術後の様々な精密検査で転移がなかったことも確認できました。

執刀してくださったデサイ先生を始め、聖マリアンナ医科大学の砂川優先生と南カリフォルニア大学病院の齋藤剛先生、シティ・オブ・ホープ総合がんセンターのクレイトン・ラウ先生には親身にご相談に乗っていただきました。先生方のおかげで予後も良好で、以前のように研究と教育、研究所の管理・運営の日々を続けています。

私たち科学者が真理の探究に専念できるのは、このような活動に意義を認め、それを支援してくださっている社会のおかげです。これからも、そうした支援に応えられる研究成果を挙げ、それを社会に説明していく所存です。また、私を生み育ててくれた両親、学問の世界に導いてくださった先生方、一緒に勉強してきた友人たち、またいつも心の支えとなってくれている家族に感謝の気持ちを表したいと思います。

本書に書きましたように、自由書房に放牧されていた小学生の頃から今日まで、知識の多くは書店にある本から学んできました。ＳＮＳの発達によって既存のメディアが衰退しつつあると言われますが、信頼できる情報の発信はこれまで以上に重要です。人類が何千年にもわたって築き上げてきた知識を守り伝え、さらなる知の発展を支えてくださっている全国の出版関係者と書店の皆さんに本書を捧げたいと思います。

二〇二一年二月

大栗博司

参考文献

＊1―グレゴリー・ザッカーマン、水谷淳訳『最も賢い億万長者』上下巻（ダイヤモンド社 二〇二〇）〔この訳書ではサイモンズさんの名前の表記について「本来『ジム・サイモンズ』と表記すべきだが、一般に『ジム・シモンズ』で通っているため、本書でもそれにならった」としている。〕
＊2―『なぜなぜ理科学習漫画』全一二巻（集英社 一九七三〜一九七四）
＊3―『子どもの伝記全集』全四六巻（ポプラ社 一九五九〜一九七九）
＊4―都筑卓司『はたして空間は曲がっているか――誰にもわかる一般相対論』（講談社ブルーバックス 一九七二）
＊5―都筑卓司『マックスウェルの悪魔』（講談社ブルーバックス 一九七〇）
＊6―『万有百科大事典』全二一巻（小学館 一九七二〜一九七六）
＊7―戸田盛和『おもちゃセミナー――叙情性と科学性への招待』（日本評論社 一九七三）
＊8―中谷宇吉郎『雪』（岩波文庫 一九九四）
＊9―ガリレオ、山田慶兒・谷泰訳『偽金鑑識官』（中公クラシックス 二〇〇九）
＊10―プラトン、加来彰俊訳『ゴルギアス』（岩波文庫 一九六七）
＊11―プラトン、久保勉訳『ソクラテスの弁明　クリトン』（岩波文庫 一九五〇）
＊12―デカルト、谷川多佳子訳『方法序説』（岩波文庫 一九九七）
＊13―カント、中山元訳『純粋理性批判』全七巻（光文社古典新訳文庫 二〇一〇〜二〇一二）
＊14―クロード・レヴィ＝ストロース、福井和美訳『親族の基本構造』（青弓社 二〇〇〇）

＊15―マルクス・ガブリエル、清水一浩訳『なぜ世界は存在しないのか』（講談社選書メチエ　二〇一八）
＊16―ポアンカレ、吉田洋一訳『改訳　科学と方法』（岩波文庫　一九五三）
＊17―朝永振一郎『物理学とは何だろうか』上下巻（岩波新書　一九七九）
＊18―高木貞治『近世数学史談』（岩波文庫　一九九五）
＊19―E・T・ベル、田中勇・銀林浩訳『数学をつくった人びと』全三巻（ハヤカワ文庫NF　二〇〇三）
＊20―加藤陽子『それでも、日本人は「戦争」を選んだ』（新潮文庫　二〇一六）
＊21―丸谷才一『年の残り』（文春文庫　一九七五）
＊22―マルクス・アウレーリウス、神谷美恵子訳『自省録』（岩波文庫　二〇〇七）
＊23―大栗博司『数学の言葉で世界を見たら――父から娘に贈る数学』（幻冬舎　二〇一五）
＊24―高田瑞穂『新釈現代文』（ちくま学芸文庫　二〇〇九）
＊25―澤瀉久敬『増補「自分で考える」ということ』（角川文庫　一九六三）
＊26―高木貞治『定本　解析概論』（岩波書店　二〇一〇）
＊27―コルモゴロフ＋フォミーン、山崎三郎＋柴岡泰光訳『函数解析の基礎』（岩波書店　一九六二）
＊28―浅野啓三＋永尾汎『群論』（岩波全書　一九六五）
＊29―松島与三『多様体入門』（裳華房数学選書　一九六五）
＊30―Herbert Goldstein, *Classical Mechanics*, Addison-Wesley, 1951.
＊31―Leonard Schiff, *Quantum Mechanics*, McGraw-Hill, 1949.
＊32―今井功『流体力学（前編）』（裳華房物理学選書　一九七三）
＊33―渡邊二郎編『ハイデガー「存在と時間」入門』（講談社学術文庫　二〇一一）

＊34―ファインマン＋レイトン＋サンズ、坪井忠二他訳『ファインマン物理学』新装版　全五巻（岩波書店　一九八六）
＊35―R・P・ファインマン、大貫昌子訳『ご冗談でしょう、ファインマンさん』上下巻（岩波現代文庫　二〇〇〇）
＊36―『ランダウ＝リフシッツ理論物理学教程』全一七巻（東京図書・岩波書店　一九五七～一九八二）
＊37―湯川秀樹監修『アインシュタイン選集』全三巻（共立出版　一九七〇～一九七二）
＊38―A・ヴェルジェス＋D・ユイスマン、白井成雄他訳『哲学教程――リセの哲学』上下巻（筑摩書房　一九八〇）
＊39―本多勝一『日本語の作文技術』（朝日文庫　一九八二）
＊40―清水幾太郎『論文の書き方』（岩波新書　一九五九）
＊41―木下是雄『理科系の作文技術』（中公新書　一九八一）
＊42―谷崎潤一郎『文章讀本』（中公文庫　一九七五）
＊43―William Strunk Jr., E. B. White, *The Elements of Style*, Macmillan, 1959.
＊44―W・ハイゼンベルク、山崎和夫訳『部分と全体――私の生涯の偉大な出会いと対話』（みすず書房　一九七四）
＊45―リヒャルト・フォン・ヴァイツゼッカー、永井清彦訳『荒れ野の40年――ヴァイツゼッカー大統領演説全文』（岩波ブックレット　一九八六）
＊46―F・ダイソン、鎮目恭夫訳『宇宙をかき乱すべきか――ダイソン自伝』（ダイヤモンド社　一九八二）
＊47―朝永振一郎『鏡のなかの世界』（みすず書房　一九六五）
＊48―朝永振一郎『科学者の自由な楽園』（岩波文庫　二〇〇〇）
＊49―佐々木閑＋大栗博司『真理の探究――仏教と宇宙物理学の対話』（幻冬舎新書　二〇一六）

＊50―村上陽一郎『新しい科学論――「事実」は理論をたおせるか』（講談社ブルーバックス 一九七九）
＊51―湯川秀樹『旅人――ある物理学者の回想』（角川ソフィア文庫 二〇一一）
＊52―シュレーディンガー、岡小天＋鎮目恭夫訳『生命とは何か――物理的にみた生細胞』（岩波文庫 二〇〇八）
＊53―アインシュタイン＋インフェルト、石原純訳『物理学はいかに創られたか』上下巻（岩波新書 一九六三）
＊54―山本義隆『磁力と重力の発見』全三巻（みすず書房 二〇〇三）
＊55―国谷裕子『キャスターという仕事』（岩波新書 二〇一七）
＊56―Sidney Coleman, *Aspects of Symmetry*, Cambridge University Press, 1985.
＊57―N.D. Birrell, P.C.W. Davies, *Quantum Fields in Curved Space*, Cambridge University Press, 1982.
＊58―ジョセフ・ニーダム、東畑精一＋藪内清監修『中国の科学と文明』全一一巻（思索社 一九七四〜一九八一）
＊59―C・ラージャーゴーパーラーチャリ、奈良毅＋田中嫺玉訳『マハーバーラタ』上中下巻（レグルス文庫 一九八三）
＊60―レイ・ブラッドベリ、北山克彦訳『ベスト版 たんぽぽのお酒』（晶文社 一九九七）
＊61―エイブラハム・フレクスナー＋ロベルト・ダイクラーフ、初田哲男＋野中香方子他訳『「役に立たない」科学が役に立つ』（東京大学出版会 二〇二〇）
＊62―Jeremy Bernstein, *The Life It Brings*, Houghton Mifflin Harcourt, 1987.
＊63―キケロー、大西英文訳『弁論家について』上下巻（岩波文庫 二〇〇五）
＊64―大栗博司『重力とは何か――アインシュタインから超弦理論へ、宇宙の謎に迫る』（幻冬舎新書 二〇一二）
＊65―大栗博司『大栗先生の超弦理論入門』（講談社ブルーバックス 二〇一三）
＊66―D・O・ウッドベリー、関正雄他訳『パロマーの巨人望遠鏡』上下巻（岩波文庫 二〇〇二）

*67—新井紀子『AI vs. 教科書が読めない子どもたち』(東洋経済新報社 二〇一八)

*68—Jerome Karabel, *The Chosen: The Hidden History of Admission and Exclusion at Harvard, Yale, and Princeton*, Mariner Books, 2006.

*69—スティーヴン・W・ホーキング+ジョージ・F・R・エリス、富岡竜太他訳『時空の大域的構造』(プレアデス出版 二〇一九)

*70—マイケル・ホスキン、中村士訳『西洋天文学史』(丸善出版 二〇一三)

*71—戸塚洋二著、立花隆編『がんと闘った科学者の記録』(文春文庫 二〇一一)

*72—大栗博司『素粒子論のランドスケープ2』(数学書房 二〇一八)

*73—スティーヴン・ワインバーグ、赤根洋子訳『科学の発見』(文藝春秋 二〇一六)

*74—アリストテレス、山本光雄訳『政治学』(岩波文庫 一九六一)

*75—吉見俊哉『大学とは何か』(岩波新書 二〇一一)

*76—村上陽一郎『工学の歴史と技術の倫理』(岩波書店 二〇〇六)

*77—マックス・ヴェーバー、清水幾太郎訳『社会学の根本概念』(岩波文庫 一九七二)

*78—橋本和仁『田んぼが電池になる!』(ウェッジ 二〇一四)

*79—山口栄一『イノベーションはなぜ途絶えたか——科学立国日本の危機』(ちくま新書 二〇一六)

*80—フェリックス・クライン、足立恒雄他訳『19世紀の数学』(共立出版 一九九五)

*81—アリストテレス、出隆訳『形而上学』上下巻(岩波文庫 一九五九)

*82—トマス・アクィナス、山本耕平訳『トマス・アクィナス 真理論』上下巻(平凡社 二〇一八)

*83—トマス・アクィナス、高田三郎+山田晶+稲垣良典他訳『神学大全』全四五巻(創文社 一九六〇~二〇一二)

著者略歴

大栗博司《おおぐりひろし》

一九六二年生まれ。東京大学国際高等研究所カブリ数物連携宇宙研究機構機構長。カリフォルニア工科大学フレッド・カブリ冠教授およびウォルター・バーク理論物理学研究所所長。アスペン物理学センター前総裁。京都大学大学院修士課程修了後、東京大学理学部助手、プリンストン高等研究所研究員を経て、一九八九年東京大学理学博士号取得。シカゴ大学助教授、京都大学数理解析研究所助教授、カリフォルニア大学バークレイ校教授を歴任。二〇〇〇年にカリフォルニア工科大学に移籍し、現在にいたる。紫綬褒章、仁科記念賞、アメリカ数学会アイゼンバッド賞、ドイツ連邦共和国フンボルト賞、ハンブルク賞、米国サイモンズ賞、中日文化賞などを受賞。アメリカ芸術科学アカデミーとアメリカ数学会のフェロー。

科学監修を務めた３Ｄ映像作品『９次元からきた男』は、国際プラネタリウム協会最優秀教育作品賞を受賞。

著書に『重力とは何か』、『強い力と弱い力』、佐々木閑氏との共著『真理の探究』（いずれも幻冬舎新書）、『数学の言葉で世界を見たら』（幻冬舎）、『大栗先生の超弦理論入門』（ブルーバックス、講談社科学出版賞受賞）、『素粒子論のランドスケープ１・２』（数学書房）などがある。

幻冬舎新書 612

探究する精神
職業としての基礎科学

二〇二一年三月二十五日　第一刷発行
二〇二一年六月二十五日　第二刷発行

著者　大栗博司
発行人　志儀保博
編集人　小木田順子

発行所　株式会社　幻冬舎
〒一五一-〇〇五一　東京都渋谷区千駄ヶ谷四-九-七
電話　〇三-五四一一-六二一一(編集)
〇三-五四一一-六二二二(営業)
振替　〇〇一二〇-八-七六七六四三

ブックデザイン　鈴木成一デザイン室
印刷・製本所　株式会社　光邦

GENTOSHA

Printed in Japan　ISBN978-4-344-98614-5 C0295
お-13-4
幻冬舎ホームページアドレス https://www.gentosha.co.jp/
*この本に関するご意見・ご感想をメールでお寄せいただく場合は、comment@gentosha.co.jp まで。

幻冬舎新書

鈴木洋一郎
暗黒物質とは何か
宇宙創成の謎に挑む

星や星間ガスの5倍以上も存在し、宇宙の全質量の4分の1以上を占める「暗黒物質」（ダークマター）。星も銀河も暗黒物質がなければ生まれなかった。暗黒物質探査の最前線に立つ著者がその正体に迫る。

川村静児
重力波とは何か
アインシュタインが奏でる宇宙からのメロディー

一九一六年にアインシュタインが存在を予言。彼の数々の予言のうち、最後まで残った宿題「重力波」が、百年かかってついに観測された。重力波が観測できると、宇宙のどんな謎が解けるのか？　第一人者が解説。

縣秀彦
地球外生命は存在する！
宇宙と生命誕生の謎

広い宇宙で、地球に似た惑星が次々と発見されている。そこに生命は存在するのか。最先端の天文学研究に携わる著者が、生命誕生の謎から系外惑星探査の最新動向まで、やさしく丁寧に解説する。

鳴沢真也
宇宙人の探し方
地球外知的生命探査の科学とロマン

望遠鏡が受信する電磁波から宇宙人が発したと思われる信号を解析する「地球外知的生命探査」（ＳＥＴＩ）。宇宙人は存在するのか。いつ見つかるのか。日本におけるＳＥＴＩの第一人者が熱くわかりやすく解説。

幻冬舎新書

宇宙はどこまでわかっているのか
小谷太郎

「地球外生命」はどんな星にいる？　重力波で宇宙の謎がどう解けた？　重力波、ブラックホール、中性子星の衝突・合体などを元NASA研究員が楽しく解説。宇宙ニュースが10倍楽しくなる！

専門医が教える 新型コロナ・感染症の本当の話
忽那賢志

信頼できる確かな知識が命を守る――新型コロナの日本上陸直後から最前線で治療にあたる専門医が、現場での経験と科学的データをもとに、新型コロナと感染症全般について解説する必読の入門書。

自分の頭で考える日本の論点
出口治明

「経済成長は必要か」「民主主義は優れた制度か」等、専門家の間でも意見が分かれる22の論点について、著者ならどう判断するかを解説。生きるのに役立つ知識が身につき、本物の思考力も鍛えられる一冊。

日本の医療の不都合な真実
コロナ禍で見えた「世界最高レベルの医療」の裏側
森田洋之

新型コロナの感染拡大で叫ばれる医療崩壊の危機。しかし病院も病床も世界一多い日本で、なぜそのような事態に陥るのか。コロナ禍で露呈した、「人間を幸せにしない日本の医療」の衝撃の実態。

幻冬舎新書

阪口珠未
老いない体をつくる中国医学入門
決め手は五臓の「腎」の力

中国の伝統医学で、腎臓だけでなく成長・生殖の働きも含み、生命を維持するエネルギーを蓄える重要な臓器である腎。腎の働きを解説しながら、2000年以上の伝統を持つ究極の食養生法を紹介。

梶谷真司
考えるとはどういうことか
0歳から100歳までの哲学入門

ひとり頭の中だけでモヤモヤしていてもダメ。考えることは、人と問い語り合うことから始まる。その積み重ねが、あなたを世間の常識や不安・恐怖から解放する——生きることそのものとしての哲学入門。

半藤一利
歴史と人生

失意のときにどう身を処すか、憂きこと多き日々をどう楽しむか。答えはすべて、歴史に書きこまれている。敬愛してやまない海舟さん、漱石さん、荷風さん、安吾さんの生き方ほか、歴史探偵流・人間学のエッセンス。

半藤一利
歴史と戦争

幕末・明治維新からの日本の近代化の歩みは、戦争の歴史でもあった。過ちを繰り返さないために、私たちは歴史に何を学ぶべきなのか。八〇冊以上の著作から厳選した半藤日本史のエッセンス。